朝日新書
Asahi Shinsho 944

人類の終着点

戦争、AI、ヒューマニティの未来

エマニュエル・トッド
マルクス・ガブリエル
フランシス・フクヤマ
メレディス・ウィテカー　スティーブ・ロー
安宅和人　岩間陽子
手塚 眞　中島隆博

朝日新聞出版

朝日地球会議

本書は、「朝日地球会議2023」（2023年10月9日～10月12日）に登壇したエマニュエル・トッド、マルクス・ガブリエル、フランシス・フクヤマ、スティーブ・ロー各氏のインタビューと、メレディス・ウィテカー、安宅和人、岩間陽子、手塚眞、中島隆博各氏のシンポジウムを、大幅に加筆修正したうえで、収録したものです。

はじめに

新型コロナウイルスの感染拡大が収まり、制約や規制が緩和されて1年足らず。世の中は「静」から「動」へと大きく変化しました。繁華街は人出でにぎわい、海外からの観光客も目立つ日常となっています。商業施設や飲食店などでは、コロナ前の風景が戻ったようにも感じます。

ただ、近い未来を考えたとき、コロナ禍とは違った別次元の不安が世界を覆っているようにも思います。これは、時代の大きな転換点に遭遇しているからなのかもしれません。

要因の一つは、各地で起きている戦争や紛争でしょう。ウクライナではロシアの侵攻で激しい戦闘が2年近く続いています。余波でエネルギーや穀物など物価高騰も招き、足元の生活にも大きな影響を及ぼしました。２０２３年10月にはイスラエルとイスラム組織ハマスの軍事衝突が始まり、ガザでの死者数は増え続けています。アフリカのスーダンやミャンマーでも戦闘が続いています。

また、23年は、ChatGPTに代表される生成ＡＩ（人工知能）が生活や仕事の場で急速に普及し、ＡＩブームが起きたのも大きな出来事でした。米ラスベガスで24年1月に開かれた世界最大級のデジタル技術見本市「ＣＥＳ２０２４」では世界各地から約４０００社が集まり、ＡＩ関連の機能やサービスを搭載する電気自動車やデジタル家電が注目されました。

こうした歴史の流れにあって、２０２４年はどんな年になるのでしょうか。

アメリカをはじめとして、国際情勢に影響力のある国・地域でリーダーや議会の構成を決める選挙が相次ぎます。1月の台湾総統選を皮切りに、インドネシア大統領選（2月）、ロシア大統領選（3月）、メキシコ大統領選（6月）、アメリカ大統領選（11月）などです。インドと韓国では総選挙があります。

また、生成ＡＩがさらに躍進し、産業界だけでなく、働き方や消費の行動に大きな変化が起こるという予測もあります。地球温暖化の進行とその影響の深刻化や、国籍や障害、性別などを超えた共生社会の実現への着実な動きを予想する声も多くあります。

23年10月に開催した国際シンポジウム「朝日地球会議」では、日本や世界の置かれた状況を読み解き、近い将来を想像していく一助にしたいと考え、『「世界の知」と探るＡＩ新時代』と題して、世界の知といわれる方々との対談インタビューを配信。その対談を受けたパネル討論も設定し、日本の知識人の方々にも登壇いただきました。対談インタビューでの発言から、ほんの一部をご紹介します。

ウクライナ侵攻をはじめとした戦争や紛争で世界の行く末が見えにくくなっているなか、エマニュエル・トッド氏（フランスの人類学者／歴史学者）は「戦争とは、結局のところ、現実を確かめる究極の試金石だ」と強調し、「驚くべきことにロシアが世界から好かれている」と指摘。「自らを自由民主主義の価値観の旗手だと考える西側諸国は完全に時代遅れだ」「アメリカのさらなる悪化に備えなければならない」と説いています。

フランシス・フクヤマ氏（アメリカの政治学者）は、ウクライナ侵攻について「欧州全体の政治的な秩序に対する紛争だ」と読み解きます。目にするのは「多極的な世界」だとし、世界は「直面する課題ごとに異なる同盟関係が形成されていく」と予想します。

また、マルクス・ガブリエル氏（ドイツの哲学者）は、「資本主義や近代性は、普遍的な道徳的価値と社会経済システムを一致させることを約束しています。うまくいかなければ、信じられなくなり信頼性を失う」としたうえで、「これが今、不平等によって自由民主主義に起きている。資本主義は、もはや解放につながらない」と説明しています。

生成ＡＩの動向に詳しいニューヨーク・タイムズ記者のスティーブ・ロー氏は、ChatGPTを開発したオープンＡＩのサム・アルトマン最高経営責任者（ＣＥＯ）と非公開で話した内容から「（ＡＩの）進化とは暴走列車であり、なにものも止めることができない。もしかしたら天国まで伸び続ける木のようなものかもしれない」という刺激的な言葉を紹介しています。一方で、ロー氏は「まだ私たちは暴走列車に乗っているわけではない」「むやみに怖がるのではなく、慎重であること。大切なのはこれです」と呼びかけます。

「世界の知」「日本の知」とされる知識人の方々は、このほかにも、ヒューマニティー（人間性）のあり方や、気候温暖化問題、先進国で進む人口減少問題、日本の課題や役割などについても語っています。本書では、ウクライナ侵攻などの戦争や進化の止まらない生成ＡＩを中心に、私たちがこれから目にしていく可能性がある世界像を、あえて「人類の終着点」と表現してみました。世界や日本、そして、私たち一人ひとりのいまの立ち位置を再認識し、近未来の予想図を考える参考になればと願っています。

朝日新聞社メディア事業本部イベントディレクター　永島　学

人類の終着点

戦争、AI、ヒューマニティの未来

目次

フランシス・フクヤマ
「歴史の終わり」から35年後　デモクラシーの現在地　52

War × Politics
1
戦争、ニヒリズム、耐えがたい不平等を超えて

Emmanuel Todd

エマニュエル・トッド

歴史家、文化人類学者、人口学者。1951年フランス生まれ。家族制度や識字率、出生率に基づき現代政治や社会を分析し、ソ連崩壊、米国の金融危機、アラブの春、英国EU離脱などを予言。主な著書に『グローバリズム以後』（朝日新書）、『帝国以後』『経済幻想』（藤原書店）、『我々はどこから来て、今どこにいるのか？』『第三次世界大戦はもう始まっている』（文藝春秋）など。

現代世界は「ローマ帝国」の崩壊後に似ている

世界戦争の導火線は、「全世界の敵」西側諸国にあった。
未来へと牽引してきたリーダーが脱落する2020年代。
大きく揺れ動く世界秩序の中で、
われわれ人類に残されている可能性とはいったい何か？

■ウクライナ戦争が明らかにした「西側の失敗」

――まず、現在の世界情勢について、お聞きしたいと思います。ウクライナでの戦争は依然として続いており、アメリカ、イギリス、EU、日本などの西側諸国は、多額の軍事、財政、人道支援を行っています。

しかし、報道を見る限り、戦況は依然として流動的です。あなたは著書の中で多くの国が中立的な立場にとどまることさえせずに、ロシア寄りに傾いていると述べています。

また、あなたは世界的な対立を「西側対東側」ではなく、「西洋対世界」であると表現しています。国際秩序に反するロシアの侵略に、怒りを感じている日本人にとっては、非常に驚くべきことでしょう。

こうした動きを踏まえて、現在の国際情勢をどのように受け止めていますか。また、この戦争は国際秩序のどのような変化を象徴していると思いますか。

まず、現在の状況からお話ししましょう。戦争によって、私たちは現実をより良く認識するようになったと思います。とくに経済の現実です。

もちろん、戦争は恐ろしいもので、ウクライナの人々は、私たちが想像するのも難しいような苦しみを味わっています。多くの人々が殺され、負傷し、障害を負っています。戦争は嘆かわしいものです。

また当然ながら、戦争はロシアの侵攻によって始まりましたので、人々は「ロシアは悪者」「ウクライナ人は善人」と考える傾向を持っています。

しかし、私が基本的に関心を持っているのは、経済的な観点から見た「現実への落とし込み」です。

私たちは、西側諸国――あなたがおっしゃったようにアメリカ、EU、イギリス、日本など――が、GDPの面で途方もない経済力を持っているという考えに取りつかれていました。

たしかに、ロシアのGDPとベラルーシのGDPを合わせると、世界の西側のGDPの4・9%くらいだったと思います。

しかし今、私たちが目の当たりにしているのは、戦争がしばらく続いているということ、そして、西側諸国は信じられないほどの生産力不足に陥っており、アメリカは同盟国とと

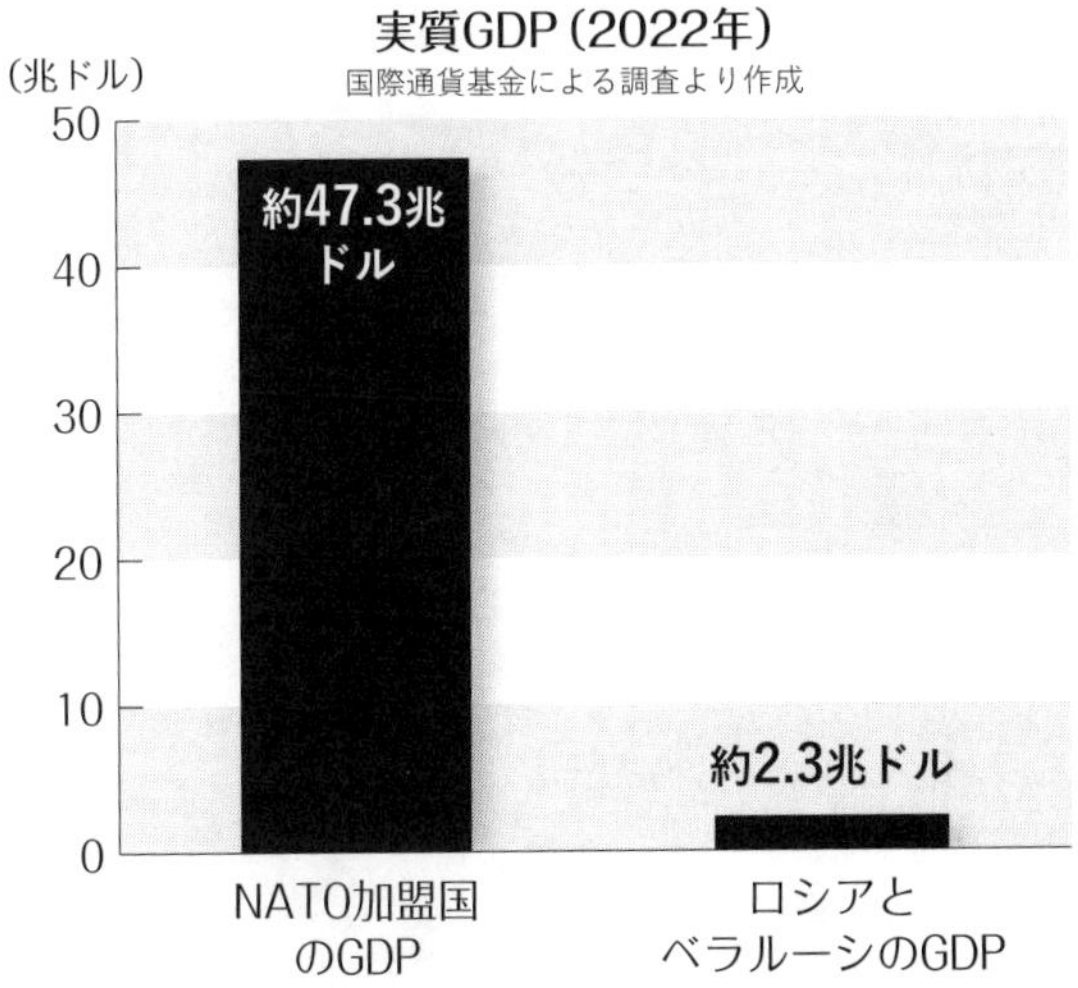

もに、ウクライナ軍に必要な155ミリ砲弾を供給できていないという事実です。ミサイルなども同様です。

今、私たちが直面しているのは、もはや存在しないも同然と考えていたロシア経済や、ロシアの産業システムの力です。実際、ロシアの産業は西側諸国全体よりも生産性が高いようです。しかも、ロシアがより多くの武器を必要となった場合には、中国には提供できる力があります。

これは、この戦争の「最初の教訓」となりました。

つまり、西欧経済に対する私たちの認識は、バーチャルで、架空で、あるいはまったく非現実的であるという教訓です。

ごく当然のことですが、これこそがグローバル化の要点でした。なぜなら、グローバル化は、現実には工場を海外に押し出し、西側諸国から実際の生産手段を奪ったからです。

私にとっては、これが中心的かつ本当に深刻な問題のように思えます。

■西洋はもはや、「世界の嫌われ者」である

あなたは「西洋対世界」と、私がこの1年以上、言い続けてきたことをまとめてくださいました。ただまずはっきり言いますが、私は自分自身を西洋人だと思っています。私はフランス人で、イギリスともつながりがあります。だから、私が西洋人の視点から話していることは、念頭に置いて下さい。

そのうえで、私たち西洋人が今気づいたことは、「西洋は、私たちが思っていたほど好かれていない」という事実です。

ここでは、アメリカを例に挙げましょう。ここ数年、「世界中の人々はアメリカを嫌っており、ロシアの勝利を心から望んでいる」ということが、少しずつ見えてきました。

これは、驚くべきことです。

これに関して、多くの例を挙げることができます。ただ中国は良い例ではありません。ロシアと中国の間には古いつながりがあるからです。

またインドは現在、世界で最も人口の多い国ですが、これも良い例ではありません。旧ソ連時代のロシアとインドの間には、古くからのとくに軍事的なつながりがありますから。そうではなくて、私にとって最も驚きだったのは、イスラム諸国が、ロシアを好んでいるように見えることです。最近では、イランだけではなく、サウジアラビアのようなアメリカの長年の同盟国もロシアとの取引を好んでいるようです。実際、石油価格も、イスラム諸国やロシアが求めるものになっており、アメリカの石油はあまり考慮に入っていないかのようです。

さらに、NATO（北大西洋条約機構）の一員であるトルコとロシアとの間に生まれた新しい関係は、とても興味深いものです。また、フランスの元植民地である西アフリカでは、群衆がロシアの旗を振っています。この旗が彼らにとって何を意味するのかは、私にはわかりません。しかし、その光景は実に興味深いものです。

これらの事実は、私たちを現実に引き戻します。繰り返しますが、これこそがグローバル化の現実でした。

■グローバル化が産み落とした「新たな搾取」

もともとグローバル化は、世界に繁栄をもたらし、生活水準の向上をもたらすと言われていました。たしかに、それは真実と言えるでしょう。

例えば、グローバル化のおかげで、中国やインドをはじめとする、多くの発展途上国には、新たな中産階級が生まれたという事実もあります。

ただ人々が見ようとしなかったのは、グローバル化とは、新しい種類の「グローバルな労働者階級」として、世界中の労働者を利用することを意味していたという点です。これによって生み出されたのが、フランス語や他の言語で言うところのまさに「プロレタリア」です。

そしてグローバル化の名の下に、「不労所得者国家」と化した欧米列強によって、グローバルな労働者階級に対する新たな搾取が行われているのです。

世界全体と西欧の間、西欧とそれ以外の国々との間には、19世紀のヨーロッパと同じような対立が生じています。

19世紀、ブルジョワジー（上流階級や中流階級）と、労働者階級の間には対立がありました。なぜなら、そこには搾取のメカニズムがもともと内在しているからです。だから、新たな搾取を行う西洋に対して、それ以外の国が敵対心を抱くのは、当たり前のことなんです。

もちろん、西洋が生み出しているイデオロギー、極端なフェミニズム、道徳的なリベラリズムの強要などは、西洋以外のより保守的な国の多くを不快にさせています。そして、もはや共産主義国ではないロシアは、近寄りやすい国になりました。かつての共産主義は、イスラム教徒や信仰心の厚い国々にとって恐ろしい存在でした。

しかし今の世界各国からすれば、プーチンのモラルの面における保守主義は、「ゲイの問題こそが組織や社会の最重要問題である」と強いる西欧の新たな傾向や、トランスジェンダーの問題に対する西洋の固執よりも、はるかに身近に感じられるのです。

西洋人である私は、どちらに賛同すると表明しているわけではありません。私は、欧米で起きていることにはショックを受けていません。ただ、周囲の人々が私たちをどのように受け止めているのかを、理解するべきだと言っているのです。

このように、「西洋対世界」の対立にはたくさんの理由があります。しかし、何よりも驚くべきは、私たち自身が驚いていることそのものです。ロシアが世界から好かれる理由は、たくさんあります。それにもかかわらず、こうした指摘に対し、私たちが驚いていることに、私はただ驚いています。

■欧米はすでに「寡頭制」で動いている

――あなたは西側の支配力が衰えてきて、インドやトルコ、グローバルサウスの国々がロシアに接近していると書いておられました。なぜグローバルサウス諸国は、民主主義国家のインドでさえも、ロシア寄りに立ち、西側の価値観に背を向けているのでしょうか。驚くべきことのように思いますが、なぜそうなるのでしょうか。

まず、私が先ほど経済的搾取について述べたことは、価値観や組織の内部原理としての民主主義とは何の関係もありません。その一点だけでも十分かと思います。たださらにもう一点指摘しておきましょう。それは、西側諸国は自らを「世界における自由民主主義の価値観の旗手」だと考えているけれども、それは完全に時代遅れだということです。

そして、興味深いことに、私たち西洋人は国内政治について議論する際には、自分たちのことを「自由民主主義的である」と語ることはありません。

「トランプ現象」は、欧米では民主主義に対する脅威として受け止められました。アメリカのジャーナリストたちや、『ニューヨーク・タイムズ』や『ワシントン・ポスト』などの既成メディアは「西洋では民主主義が脅かされている」と語るでしょう。ブレグジット（イギリスの欧州連合離脱）もある種の衝撃でした。そして、イギリスが、今どのように機能しているのか、私たちにはよくわかりません。

フランスで政治に関する記事などを書くとき、私はフランス議会やマクロン大統領に対して「民主主義がうまく機能している」とは決して評価しません。

客観的なデータにも目を向けてみましょう。まず、我らがリーダーであるアメリカに焦点を当てます。ジョークを込めて「我らが愛すべきリーダー」とここでは言いますが、現在のアメリカの状態はどうでしょうか。

現在のアメリカは、不平等の国です。1980年代以降、経済的不平等が増大し、世界史上、他に例を見ないほどです。2010年以降も経済格差は悪化していき、その格差は、平均寿命の差にまで転化されました。アメリカでは死亡率が上昇していないのに、です。

つまり、アメリカにおける大規模な社会的・経済的後退は、アメリカを歴史上の何か別のものに変えてしまいました。今のアメリカはもはや、1950年代、60年代、あるいは70年代に、私たちが愛したアメリカではありません。不平等が広がり、自由民主主義が変容した結果、私が「リベラルな寡頭制」と呼ぶものに、アメリカは変わってしまいました。

■「民主主義のために戦っている」という妄想

欧米はもはや民主主義の代表ではなく、少数の人や少数の集団に支配された、単なる寡頭政治になってしまったのです。

一方で、インドは北部では暴力があり、非常に複雑で原理主義政党が台頭しています。トルコや他の国も同じかもしれません。しかし、これらの国々では民主主義が台頭しつつあると言えます。民主主義に向けた前向きな動きがあるからです。これは欧米には当てはまりません。

西側諸国の民主主義は、機能不全どころか、消滅しつつあります。ヨーロッパの共同体（EU）に関しては、もはや完全に寡頭制です。一部の国が他国より強く、一部の国には力がない。ドイツがトップにいて、フランスが下士官、その一方でギリシャは存在感がないといった具合のグローバルシステムです。

ウクライナ戦争も同様です。ヨーロッパは民主主義の価値のために戦っているふりをしているだけで、これは完全な妄想です。そして驚くべきことに、私たちはそれに気づいていません。自分たちの国について話すときには、「民主主義の危機を抱えている」と言っているにもかかわらず。

しかし、西洋以外の人々はそれを見抜いています。彼らは、私たちをありのままを見ているのです。西洋は、何か違うものに変わりつつあり、もはや十分な生産ができなくなっています。また先ほど言ったように、グローバル化とは、第二の植民地時代、つまり「グローバルな植民地時代」であることが判明したのです。

私たちのシステムは、もはやダイナミックな民主主義ではなく、消えゆく民主主義なのです。そして、戦争によって、この状態に誰もが適応する必要が出てきました。

繰り返しますが、ウクライナ人の苦しみや戦争の残酷さを忘れることはできませんが、戦争とは結局のところ、私たちにとって、現実を確かめる究極の試金石なのです。

こういう時こそ、歴史家、経済学者、その他あらゆるタイプの社会科学者が、より現実的で健全な方法で自分たちの仕事をするべきなのです。

■輝かしい「民主主義」の時代は、もう戻ってこない

――あなたは自由民主主義の価値を支持する知識人の一人です。たとえ自由民主主義が、今現在失われているとしても、失地回復するチャンスはまだあると思いますか。あなたがおっしゃったリベラルな寡頭制からの回帰の面から考えるといかがでしょうか。

それは私が、20年ほど前から考えてきたことです。まさに私が『帝国以後』を書いたのは、今から20年ほど前でした。この本はアメリカについて書いた本であり、イラク侵攻の少し前に出版されました。そして、この本には、私がここまでに話してきた多くの傾向が書かれています。

寡頭政治への推進、アメリカの「不労所得者国家」状態、貿易赤字……。そして、アメリカという国自体が必要と見せかけて世界に混乱を生み出す傾向などなど。

しかし、この本はある種の希望で終わっています。つまり、アメリカが再び民主的な価

値観に戻り、何とか回復してほしいという希望でした。

そして、トランプ現象が始まったときも、私はトランプ自身でも、共和党でもなく、「覚醒した民主党」が新たな原動力のようなものを生み出すのではないかという期待を持っていました。真の民主主義、自由民主主義など、私たちがかつて愛した古いアメリカ国家に非常によく似た、新しいアメリカ国家への新たな原動力を生み出すのでないかと……。

しかし、それから20年経った今、私が『帝国以後』と同様の調査、つまり貿易赤字、アメリカの政治システムの内部機能、ワシントンの支配エリートのメンタリティについての調査を加えてみると、「もう過去の状態には戻らない」ことは明らかです。

アメリカで観察されているようなこの歴史的大変革は、私が言うところの「元に戻せない」ものです。歴史が続く限り、後戻りはできません。

私たちが何に対処しなければならないのか、正確にはわかりません。しかし、「以前のような民主主義に戻れるかもしれない」「戻せるかもしれない」という考えは、妄想です。

つまり、私たちは、新しいことに備えなければなりません。戦争とは関係なく、私たちはもっと悪い事態に備える必要があるでしょう。

■アメリカは「ニヒリズム」に支配されている

アメリカで起こっていることを理解するために、私が導入しなければならなかった概念が一つあります。

それは「ニヒリズム（虚無主義）」という概念です。この言葉は、スペルで正確に理解しておきましょう。ニヒリズムとは「ＮＩＨＩＬＩＳＭ」と書きます。

この言葉は、１９３０年代にドイツが陥った狂気を理解するために使われた概念です。もちろん、今のアメリカで起きていることは同じではありません。このニヒリズムが意味するように、戦争や破壊に魅了され、現実の破壊や否定を始めることは、本当に危険なことです。

たとえば今、西側諸国がウクライナでの戦争に勝てないことは明らかです。すでに決着がついていると私は考えます。ロシアは時間をかけて、できる限りのことをするでしょう。

私の予測では、この戦争の終息には5年かかると考えています。5年というのはわれわれにとっては長い時間です。

私たちはあらゆる事態を覚悟しなければいけません。ワシントンの人々は、もはや1950年から1980年にかけて政権を担っていたような伝統的なエリートではありません。当時のアメリカには、かなり首尾一貫した白人プロテスタント、つまりアングロサクソンのエリートがいました。人々がジョークや批判を込めて、WASP（ホワイト・アングロ・サクソン・プロテスタントの略称）と呼んでいた人たちです。

WASPのエリートは、いろいろな意味で馬鹿げていましたが、大統領としてルーズベルトとアイゼンハワーを輩出するなどしました。

今のアメリカに典型的なのは、プロテスタントという中核の完全な崩壊です。現在、アメリカで起こっていることを理解するためには、プロテスタント文化がアメリカやイギリスにおいて「いかに重要であったか」を理解する必要があります。

イギリスでも、プロテスタントの崩壊は並行して進んでいます。これは、最終的に、プロテスタント的価値観の完全な消滅という災厄にまで行きつくでしょう。つまり、それは「労働倫理」の消滅です。経済学における道徳の基本概念の消滅を意味します。そしてこのことが、すべての経済的機能不全の理解を可能にします。

これにより、アメリカを支える宗教的な核が消滅したため、過去に戻ることはないと予測することが可能になります。これが、一般的な歴史であり、経済史です。

しかし今、支配者層、ワシントンの人々、この世界をリードする人々、ジョー・バイデン、彼の安全保障顧問のジェイク・サリバン、トニー・ブリンケン、ヴィクトリア・ヌーランド、そして彼女の夫であるロバート・ケーガンといった人々は無責任であり、恐ろしい存在です。

私にとっては、西側がウクライナ戦争に勝つか、ロシアが戦争に勝つかというのはどうでも良いのです。もっと一般的に言うと、西側のネガティブな動きを考慮すれば、ウクライナ戦争とは関係なく、アメリカのさらなる悪化に備えなければならないということです。無責任なインテリやケンブリッジの学者のようなことを言って申し訳ないですが、私はフランス市民として、そして世界市民として、私たちの前にある歴史の動向に、心から怯えているのです。

——そのお答えは次の質問につながるのですが、2024年以降の世界についてお尋ねします。リベラルな寡頭制の次に来る世界システムについてどのように考えていますか。

ここ数年で、アメリカを分析する際にある言葉が頻繁に登場するようになりました。これは、私が考えた言葉でも、個人的に導入した新しい概念でもないのですが、かなり多くの本で目にする概念です。それを「封建主義」と言います。

封建主義とは何かと言うと、二つの側面がある社会状態のことです。これは私にとって新しい研究分野です。ですから、このことについて話すのは難しいのですが、その二つの側面とは以下のようなものです。

一つは、国家の中枢が弱体化し、国家の各部門が互いに独立して行動するようになることです。そして、もちろん体制内の富裕層、つまり以前の時代の寡頭支配者たちは、自分たちの望むように国家の断片を利用したり、行動したり、影響を与えたりする傾向がますます強くなっています。ローマ帝国が崩壊した後にも、このようなことが起こりました。これは、社会の上層から見た封建制だと言えるでしょう。

封建主義とは一種の「権力の崩壊」をもたらし、超富裕層が真の寡頭支配者になるような権力システムです。寡頭支配の本当の意味は、少数者の権力です。富裕層が権力を持つ金権政治とは異なります。つまり、寡頭制から封建制への移行は、非常に小さな動きとなるのです。

もう一つの側面は、「人を買う」ことができるところにあります。まず資本主義とは、基本的にお金でモノを買うことができるシステムです。

資本主義では、少しのお金なら小さなものを、たくさんのお金があれば大きなものを買うことができます。しかし封建制は、モノを買うのではなく、人まで買えるようになる段階です。

アメリカの寡頭支配者は、シンクタンクに資金を提供することで、必要とするイデオロギーやプログラムを作ったり、発言したりします。これはすでに完成しています。私が言う「人を買う」とはもっと悪い状態です。

「人を買う」段階とは、裁判や司法制度における不平等が経済主体となりうるシステムが完成した段階です。

■「最悪の事態」はまさにこれから起こる

それはある意味、基本的自由が国家によって衰退させられている状況とも言えますが、私はとくに、アメリカの学資ローンを心配しています。

長い間、アメリカで経済的に生き抜くということは、「何らかの高等教育を受ける」ということでした。高等教育を受けることで、グローバル化の最悪の影響から逃れることが可能になっていました。

しかし、もちろん、アメリカでは教育機関がますます私立化されています。多くのお金がかかり、大半の学生は銀行からお金を借りて勉強しなければならず、借金を背負っています。

この問題をバイデンが何とかしようとしているのは知っています。しかし、そう簡単に負債を背負わせる動きが止まったり、覆されたりするとは思いません。

もちろん、私は歴史を研究しているので、多少は歴史の知識があります。古代史の知識はあまりありませんが、借金に走ることは——とくに大規模な個人的借金は——借金の奴隷のようなものへと、人々を導く最初の一手であることを知っています。

就職して働き始める前に、個人的な借金を背負ったアメリカの現在の学生は、19世紀の政治思想家たちが、「市民の自由」などと言っていたような状態とは程遠いのです。

これが、私が恐れている、暗い未来の一部です。

私たちの世代にとってはとくにですが、これ以上悪いことが起きると想像するのは難しいことです。

1951年生まれの私は、人生の大半で、生活水準の驚異的な向上を経験してきました。かつては南仏にある私の村から電話をかけるのさえ難しかったころもありましたが、今は携帯電話を持っていて、どこでも誰にでも電話をかけることができます。

市民の積極的な政治参加があったころはまだ、民主主義の時代でした。これはフランスにもイギリスにもアメリカにも当てはまりますが、当時の歴史は同じような傾向がありました。

しかし、グローバル化などによって、産業システムが崩壊していくのを目の当たりにします。そして、物質的な困難を抱えるようになります。

コロナ禍の時期、西洋には、必要な医療品や機械、マスクなどを作ることができないことがわかり、私は本当に驚きました。フランスでは、乳幼児の死亡率がわずかに上昇しましたし、大きな政治的な機能不全があり、警察の取り締まり姿勢は強硬になっています。アメリカでは状況がもっと悪く、バイデンが当選した後、銃乱射事件や連邦議会議事堂の襲撃事件が起きました。

私たちは、最悪の事態をすでに目の当たりにし、今こそ回復し始めるときだという考えを持っています。しかし、状況はまったくそうなってはいない。私たちにとっての最悪の事態はまだ来ていないのです。

これこそ、私が恐れていることです。最悪の事態についての意識の欠如こそ、恐れるべきです。

――かなり悲観的な見方ですね。社会がより階層化され、学生が負債の奴隷となることで「社会が封建主義的になる可能性がある」と述べました。

あなたは、世界が無極化し、あるいは分断されているとおっしゃっていますが、将来を見据えた場合、異なるイデオロギーや価値観を持つブロックを橋渡しする、普遍的な価値が生まれてくる可能性はあると思いますか。

これが、私の姿勢のパラドックスだと思います。繰り返しになりますが、私は西洋人です。このように悲観的になるのは、西洋人として話しているときであって、単に自分の国だけでなく「自分の世界」のことを心配しているのです。

しかし、世界で起きていることに目を向けると、私は悲観的ではありません。

合計特殊出生率／女性一人当たりの出生数（2021年）

フランス	1.8	フィンランド	1.5
アメリカ	1.7	ロシア	1.5
スウェーデン	1.7	日本	1.3
ノルウェー	1.6	中国	1.2
イギリス	1.6		
ドイツ	1.6		

世界銀行による調査をもとに作成

たとえば、ウクライナでロシアが勝利し、ウクライナの一部がロシアの主張する条件で割譲される可能性が高まっています。しかし、それがヨーロッパに政治的・軍事的な不安定化をもたらすとはまったく思いません。ロシアが、ヨーロッパの他の地域を攻撃する意図を持っていないわけではないでしょうが、人口的にも物質的にもその可能性はありません。

先進国はすべて、人口構造の不均衡、子どもが増えないという理由から、ある意味で弱い国だということを理解しなければなりません。ロシアの出生率は約1・5で、アメリカ、イギリス、ドイツ、北欧諸国の出生率は約1・6です。日本はもっと低くて約1・3だと思います。中国は約1・2です。

ある意味、先進国のシステムはすべて弱いのです。第一次世界大戦のときのように、国中から大勢の人々やエネルギーが集まっていた時代とは違うのです。

先進国では老人が増え、子どもは増えない。だから、あのような大規模に拡大するような戦争は、考えられないことなんです。これは、もちろんヨーロッパにも当てはまります。

ヨーロッパにおいて、アメリカの強迫観念となっているのは、ドイツとロシアが協力を構築することです。ウクライナにおける、アメリカの行動の主要な目的の一つは、ドイツとロシアの間に混乱と不和と対立を生み出すことでした。アメリカの目論見は見事に成功しましたが、戦争が終われば、必然的にドイツとロシアが互いに接近するときが来ます。それは、ドイツとロシア双方の利益になるからです。そして、この二つの国のいずれも軍事的に、攻撃的になる可能性はありません。

しかし、こういった事態は世界の他の国々にも当てはまります。アジアにも当てはまると思います。中国の人口バランスが崩れているならば、中国の膨張は起こらないということです。

■本当の意味で「帝国以後」の世界がやってくる

アメリカ人は、間違いを犯していると思います。アメリカの新聞や批評は、中国の人口状況などに関して破滅的な未来を予測した記事で埋め尽くされているのは知っています。たしかにこの人口状況は、中国を窮地に陥れ、中国が世界を支配する未来を遠ざけるでしょう。

しかし中国が、今後10年、15年の間に南シナ海や台湾問題で軍事的にアメリカを凌駕することは防げないと私は考えています。しかし人口動態を見れば、私たちは、新たな不均衡を心配する必要はないことがわかります。

そして、もう一つ予測されることは「崩壊」です。アメリカと、アメリカの「同盟国」という言葉は適切ではありません。「保護国」や「家臣」といった言い方が適切でしょう。その「家臣」であるヨーロッパの国や日本、韓国などは、現在は「ルールに基づいた秩序がある」と言います。

まるで、アメリカや保護国は、アメリカの覇権が崩壊すれば、世界にとって恐ろしいことであるかのようです。私は、それは正反対だと思います。

ソ連が崩壊して以来の20年間、アメリカは無秩序を生み出してきました。イラクやその他の場所での終わりのない戦争を行い、ウクライナをNATOの一員にする可能性を示唆し、ウクライナを混乱に陥れました。世界には、アメリカ以外に強力な国家はありません。

ロシアは生存をかけて戦っていますが、世界的な覇権を目指して戦っているわけではないのです。

世界は、アメリカ抜きである種の新しいバランスを簡単に見つけることができると、私は確信しています。ロシアでは、正教会の、つまりキリスト教のバックグラウンドを持てます。同様に、中国では、共産主義や儒教的なバックグラウンドを持つこともできるし、サウジアラビアやイランでは、イスラム教のバックグラウンドを持てるのです。

バックグラウンドが違っても、人々はうまくやっていけると思うし、最近はそれが示されていると思います。たとえば、BRICSのシステムは典型的なもので、異なる背景を持つ国々——民主的な国もあれば、そうでない国もある——が協力し交渉しています。私たちはみな、あるレベルではみな同じ人間なのです。

フランス人は「普遍的な人間」という概念を発明したことを誇りに思っています。彼らは「人間はもともと普遍的なものだ」と言いました。人間はもともと道徳的であり、考え、交渉することができます。だから、生き残るためにグローバルなイデオロギーは必要ありません。国同士で話し合い、そのうちの一国による世界的な覇権など望むべくもないことに気づけば良いわけです。

しかしアメリカはそういきません。なぜなら、食料、機械、生産、生活水準を世界に依存しすぎているからです。つまり、世界には不安定な部分が残ることになります。その不安定な一点とは、アメリカなのです。

奇妙な考えだとお思いでしょうか。私が言っているのは、人々の考え方とはまったく逆の考え方かもしれません。人々がロシアを嫌っていることは、知っています。私はそれを知っていますし、日本のこともよく知っています。フランスの状況も日本と同じだと言えます。私は、フランスでも日本でもどうかしていると思われているでしょう。

でも、私にとって、問題はアメリカなんです。ロシアは問題ではない。ロシアはそれほど強力ではありません。ロシアは、自分たちに必要なものを自分たちで生産しています。世界に依存していません。しかしアメリカは、非常に危険な旅の途上にあります。

■新たな世界秩序の中で、日本はどう立ち回るのか

——日本も長い間アメリカに依存しています。日本の状況についてどうお考えですか。日本の役割や意義は、国際社会においてどうあるべきでしょうか。

その質問には、お答えできます。そのことを常に考えたうえで、私は日本との特別な関係を持っていますから。だから、私は日本についての意見を求められた際に、同じ答えを返し続けています。

日本が抱えている一番の問題は、中国ではありません。日本の主な問題は人口問題です。むしろ、中国の人口がもたらすマイナスのショックは、日本にとってもマイナスのショックになります。日本の産業システムは、アウトソーシングなどで中国の労働力に非常に依存しているからです。

だから合理的な態度としては、このような関係性があることをまずは認めることです。軍事力などの幻想へと逃避して、問題を忘れようとするのではなく、日中が一緒に人口問題に立ち向かおうとすべきでしょう。

そして、まずは移民を受け入れる必要がありますが、これはすでに始まっています。それに加えて、日本の女性が子どもを持ち、満足のいく職業生活を送ることができるような新しい政策も必要です。

安全保障に関しては、イラク戦争が勃発していた頃の朝日新聞のインタビューと同じことを繰り返します。

同盟国であるアメリカは、安全でなくなっており、不安定である。だから、軍事的安全保障をアメリカに依存することはリスクである、と。そして、日本が安全だと感じるには、核爆弾を手に入れる以外に方法はないということです。核爆弾を持つことで、世界の紛争に参加しないという選択肢を持つことができるからです。

日本のような国の場合には当てはまりませんが、たとえばフランスのように核爆弾があることで中立を保つことができ、無用な争いに巻き込まれることを拒否できる国もあります。これは、私はもう何十年も言い続けていることです。そして、今も言い続けています。日本を取り巻く状況はますます切迫していますし、これに付け加えることはあまりありません。

■人工知能によってもたらされた「知性の劣化」

――テクノロジーの話題に移りたいと思います。2020年代、世界で最も大きな変化の一つは「人工知能の進歩」でした。2022年のChatGPTに代表されるようなAIの登場は世界中に急速に広まり、インターネット上に蓄積された膨大な英知を活用して、私たちに瞬時にアイデアや解決策を提供してくれるようになりました。あなたはそれを試してみたことがありますか。また、どう感じましたか。

私も試しました。これについて、私は、フランスの新聞『マリアンヌ』にも記事を書きました。そのときの質問に返ってきた答えはとても面白いものでした。

質問は、このように始めました。「エマニュエル・トッドは、本当に親ロシア派なのか？」と。フランスでは、私は「親ロシア派だ」と非難されているからです。

ChatGPTから返ってきたのは、とても良い、至極普通の答えでした。「〝そうだ〟と言う人もいます。しかし、彼は独立した知識人であり、彼の意見は個人的なものです。まずはクレムリンにまったく依存していないと証明する必要がある」と。良い答えだと思いました。そして、私の身に覚えがない発言もいくつか付け加えてきました。つまり、真実ではない要素も含まれていました。

それから、私の研究分野である家族システムなどについても質問しました。そしてそのときに、ChatGPTでどのようなものが得られるか、について正確に理解できました。

私は「ChatGPTは非常に一般的で、かなりしっかりした答えが得られる」と最初の印象を抱きました。そして次に気づいたのは、得られた答えが基本的にウィキペディアにあるような平均的なものであるということです。

その答えはウィキペディアにあるバイアスをもすべて再現します。家族制度研究の分野で見られる標準的な間違いも完全に無批判に再現しました。つまり、基本的かつ平均的知識は得ることはできますが、その知識は非常に不完全です。これに加えて、イデオロギー的な先行事項――英米の世界でジェンダーや性別などについて見られるような特定の事柄――が加わります。たしかに得られる答えは、技術的な観点から見ると、感動的なものかもしれません。

しかし、研究者の立場から見れば、ChatGPTは数秒で平均的な研究者より少し程度の低い答えを出します。つまり、知識としては、やや後進的な段階なんです。私の推測では、世界中の誰もがChatGPTを大量に使用することで、見かけ上の加速は生まれると思います。しかし、実際には減速です。それは研究を減速させるからです。

人工知能に世界中が熱狂しているのは知っています。人工知能が私たちの生活を変えると言うことですね。そうです、ChatGPTは私たちの生活を変えるでしょう。でも、それは良いことでもなければ、最悪なことでもないのです。しかしもし、ChatGPTが存在しなかったら、私たちはより悪い状況に陥っていたことでしょう。

そして、私がとくに興味を惹かれるのは、人工知能の話がこのタイミングで出てきたことです。今の時点で西洋世界には、生まれつきの知能の低下が見られます。欧米諸国、とくにプロテスタント諸国では、IQが低下しており、高等教育の水準もどんどん下がっています。私が今話しているのは西洋のことです。インドのような国のことではありません。生まれつきの知能の低下と人工知能の出現が組み合わさって、生来の知能は劣化版となりつつあります。むしろ「悪化版」と言った方がいいかもしれません。しかし、これは非常に個人的な見解です。これは私の研究のメインテーマではないからです。

■人類には、「歴史」の感覚が必要である

――もしAIが人間の知性を抑圧したり劣化させたりするものだとしたら、AIが進展した世界の人間社会はどうなっていくでしょうか。また、私たちが追い求めたいと願う、自由で民主的な世界の実現はより困難になると思いますか。

どう言えばいいのでしょうか。でも何よりもまず、私たちは謙虚でなければいけません。私たちは「歴史とは何か」という感覚を取り戻さなければなりません。西洋思想や標準的な西洋イデオロギーの中心的な問題点の一つは、歴史意識の驚くほどの低下です。私たちは、もはや長期的な視点で物事を考えなくなりました。「自分たちがどこから来たのか」「何を生き延びてきたのか」「何を成し遂げてきたのか」といったことを考えるのをやめてしまいました。

ある種の健忘症のようなもので、おそらく第二次世界大戦以降の貧困状態から裕福になったことのショックが容赦ないほど大きすぎたのでしょう。

まさしく、インターネット通信が可能で、豊かな都市生活への移行はショックが大きすぎました。そのため、私たちはかつての自分たちとの接点を失ってしまったのです。

自由民主主義のような概念は、過去について私たちが思い出す最後のものです。民主主義に向けて出発した国々であるアメリカ、フランスなどに住む人々はナチズムを完全に忘れてしまいました。ロシアの真の全体主義となった共産主義などについても忘れてしまいました。

すべて忘れ去られてしまいましたが、私たちはこれらすべてを生き延びてきました。そして今、私たちは怯えています。「民主主義が崩壊しつつある」あるいは「すでに崩壊している」という感覚があるからです。私たちはみなしごのようになってしまったのです。

■たとえ「民主主義」が終わろうとも

でも実際のところ、人類の歴史全体を見れば——偉そうに聞こえたり、人間の苦しみに無関心に聞こえたりしなければいいのですが——人類の歴史のほとんどは、民主主義ではありません。民主主義の後にも人生があるのです。その人生が何であるかはわかりません。新しい何かが現れるでしょう。アメリカにとっては恐ろしいものかもしれません。しかし、世界の他の国々にとっては、むしろ楽観的な未来がやって来るかもしれません。

先進国の出生率の低さは本当に恐ろしく、私にとっては気候危機よりも恐ろしく感じています。というのも、先進国の人口の減少は人間の知性の低下にもつながるからです。人は知性の担い手です。しかし、この部分には、私の姿勢におけるパラドックスがあります。将来における恐ろしい要素を指摘はしますが、私は悲観していないのです。

なぜなら、歴史は続いていくからです。人間の歴史はすべて、崩壊と生き残りの連続です。未来についての問いを「民主主義は存続するのか」という問いに集約するのは、私には一種のジョークに聞こえます。

もちろん、アメリカにおける死亡率の上昇は本当に恐ろしいことですし、ニヒリズムという暗黒の未来を予測することはできます。さらに、西ヨーロッパでは、生活水準が下がり始めています。また人口問題もあります。もちろん、EUは寡頭制です。たくさんのネガティブなことは指摘できます。さらには、グローバルな知性の低下も問題です。

しかし、私たちは非常に高い所得を持っています。知的な可能性もまだあります。人々はより親切です。フランスのような国でも同様です。日本人はとても親切で礼儀正しいので、そんなにわからないかもしれませんが、フランス人はかつてとても無礼でした。しかし彼らは良くなってきています。私が話したようなマクロな未来予測とは、まったく関係のないことが世界中では起こり得るのです。

繰り返しになりますが、人間は人間で、火の発明、農業、街の発明などの偉大なことを、成し遂げてきました。「民主主義」もそのうちの一つかもしれません。ただ、たとえ民主主義が危機を迎えようとも、その後も一人ひとりの人生は続いていくのです。

聞き手／GLOBE＋副編集長　渡辺志帆

Francis Fukuyama

フランシス・フクヤマ

政治学者。１９５２年アメリカ生まれ。１９８９年に発表した論文「歴史の終わり？」で、西側諸国の自由民主主義が、人間のイデオロギー的進化の終着点なのではないかとの見方を示した。主な著書に『歴史の終わり』（三笠書房）、『ＩＤＥＮＴＩＴＹ（アイデンティティ）』（朝日新聞出版）、『リベラリズムへの不満』（新潮社）、『政治の起源』（講談社）など。

「歴史の終わり」から35年後 デモクラシーの現在地

「歴史の終わり」は来なかった。
これまで世界が謳歌していたのは、かりそめの平和である。
人類が終えられなかった「冷戦下の宿題」とは何か？
近未来に必要となるものを、フクヤマと再考する。

■「歴史の終わり?」から、リベラリズムの終わり?

――フクヤマさんは1989年、ベルリンの壁崩壊の数か月前に、「歴史の終わり?」という論文を発表して、脚光を浴びました。この論文のタイトルには「?」(クエスチョンマーク)がついていました。

その後1992年には『歴史の終わり』という書籍も発表して、米国および世界の思想史で大きな節目となり、大きな注目を集めました。その理由は、多くの人がその時代の本質的な要素を内包していると感じたからだ、と私は思います。

もちろん、ソ連の崩壊もありました。論文の言葉を引用します。「冷戦の終結や戦後の歴史の特定の時期の終わりを目の当たりにしているだけではなく、歴史の終わりを目撃しているのだ。すなわち人類のイデオロギー的な進化と人間の統治の最終形態としての西洋の自由民主主義の普遍化なのだ」と。

あなたの当時の意図はどうであれ、この本は「西洋の勝利を正当化するもの」だと受け止められました。世界で大きな出来事が起こるたびに、この論の妥当性についてよく聞かれるとあなたは認めています。

２０２２年のロシアによるウクライナへの侵攻を目にして、「これは冷戦後の最後の一幕だ」とか「歴史の終わり論の終わり」だと、言う人もいるでしょう。あなたはこの出来事に関して、どのように考えていますか。

あなたのおっしゃることは、多くの点で正しいと思います。２０２３年の世界において、「自由民主主義が、いかなる場所においても成功をおさめ得る唯一の代替手段だ」と言う人はいないでしょう。長い目で見れば、その主張は正しいかもしれません。しかし過去15年間、グローバル民主主義は後退しています。

権威主義的な二つの大きな勢力、ロシアと中国が自らの国家像を打ち出そうと試みています。両国とも「自由民主主義は時代遅れ」とか「死につつあるイデオロギーだ」と公言しています。現在の世界が大きな課題を抱えているのは、間違いありません。１９８９年や１９９２年よりも、楽観的にはなれない状況です。

――先ほど中国の話題が出ましたが、『歴史の終わり』を発表して以来、中国は自由民主主義になることはなく、非自由主義的で非民主的な体制が続いています。世界中の多くの人が、「民主主義や自由という価値が、中国の挑戦に対して耐え得るのかどうかが不透明だ」と感じています。中国は冷戦後システムの最大の受益者であり、最も成功した独裁国家と言えるでしょう。昨今の中国の挑戦に対して、あなたはどうお考えですか。

中国の改革の当初から、「それが自由民主主義に対する一番もっともらしく見える代替案だ」と私は主張しました。権威主義的な政治システムに、準市場経済が混じり合っています。それに、これほど短期間で成長した国は他にありません。その規模を考えると、信じられないくらいです。それが歴史的な達成であることは、間違いありません。

一方で、これが持続可能なモデルなのか、はっきりとしていません。今後10年から20年間、中国を脅威とみなし続けることになるのかについても、明確ではありません。なぜなら、政治モデルと経済モデルに大きな問題があると思うからです。

実際に中国の成長率は、大きく鈍化しています。そしてその鈍化は、独裁的な意思決定システムの失敗と、直接関係があるように思えます。習近平氏は、鄧小平氏が始めた「自由経済改革」を支持しているとは思えませんし、その結果、中国経済は不調に陥っています。

経済以外の文化的、政治的な要素で、人々が真に称賛する中国のシステムがあるとは思えませんし、中国の文化は、自国以外に広がってはいません。「中国に住みたくてたまらない」と思う人は多くないでしょう。

経済的に大きく成長したとはいえ、社会的システムの面では優れているかどうかわかりません。今後数年、中国の動向を注視する必要があります。過去30年に比べると、今後10年はそれほど良い状態にはならないでしょう。

——2019年6月当時、私は朝日新聞のワシントンDC特派員でした。トランプ政権に最も勢いがある時期でした。そのとき一時的に日本に帰国して、大阪でのG20サミットも取材しました。サミット前日、『フィナンシャル・タイムズ』がプーチン大統領の独占インタビューを掲載しました。そこで彼が「自由主義的な価値は時代遅れだ」と述べていたことに、私は衝撃を受けました。その数年後、プーチン氏のロシアはウクライナへの侵攻を開始しました。執拗《しつよう》で強固なプーチン氏の自由主義への攻撃と、ウクライナへの侵攻はどのように関係しているのでしょうか。

プーチンは、ソ連崩壊を決して受け入れることができないのでしょう。彼はそれを「20世紀最大の悲劇だ」と形容しました。彼の外交政策は、可能な限り「ソ連を取り戻すこと」です。

そして、ソ連が失ったものの中で最も大事なのは、ウクライナです。彼は明確にそう述べています。これは、彼の行動が暗示している類のものではありません。彼は、公然と言ってのけたのです。「ウクライナは死活的な領土で、ロシアの一部であり、ロシアから除くことはできない」と。

「1991年以後の欧州の安定を覆す」という彼の野望を行動で示すのが、彼の外交政策です。これが「単に領土をめぐる問題ではない」と考える理由です。ウクライナへの侵攻は、欧州全体の政治的な秩序に対する紛争なのです。

■なぜ、リベラリズムに対して「不満」を抱いてしまうのか?

――ロシアが権威主義的な伝統に回帰し、プーチン大統領が自由主義に対して攻撃を仕掛けるのは驚きではありません。私にとって驚きだったのは、民主主義国家の人々からも自由主義に

対する不満が大きくなった点です。

あなたの最近の著作『リベラリズムへの不満』では、この重要な点を詳細に論じています。その細部を伺う前に、あなたにとって「リベラリズムとは何か」を教えていただけますか。これはとても大事だと思いますが、混乱した概念でもあります。

リベラリズムは、国によって捉え方が違います。米国ではリベラルとは「真ん中から左」のことを意味します。欧州では「真ん中から右」を意味しています。そしてその特徴としては、自由な市場経済を信奉している点が挙げられます。

しかし、私の定義はそのどちらでもありません。というのも、経済的な定義は正しいとは思えないからです。

リベラルな体制とは、市民に言論や信仰、政治参加といった基本的な権利を保障することにより、政府の権力を制限するもののことです。公平な尊厳、そしてそうした権利を擁護していれば、リベラルな体制と言えるでしょう。

日本と韓国はともにリベラルな体制です。スウェーデンや米国も同じです。国の規模はそれぞれ異なります。スウェーデンは福祉国家で、米国や日本はそうとは言えません。ですが、市民の自由に介入する政府の権力を制限するという意味では、ともにリベラルな国家と言えるでしょう。

――リベラリズムと民主主義では、原則が異なります。リベラリズムと民主主義の緊張関係についてはどのように説明しますか。

リベラリズムと民主主義は互いに関係しています。互いを補う関係です。ですが、同一視はできません。民主主義とは「自由で公平な選挙によって人々が統治すること」です。一方、リベラリズムは「政府の権力を制限するシステムのこと」です。憲法のようなものとも言えます。

リベラリズムは、「チェック&バランス」を発揮して、行政の横暴を防ぎます。法の支配の基本的な考え方は、政府に法を守らせることです。「法の外で行動をさせない」ということです。これが、自由民主主義のリベラルな側面です。

世界に目を向けると何が起きているでしょうか。ポピュリストが台頭していますよね。自由民主主義の民主的な部分が、リベラルな部分を攻撃しています。ドナルド・トランプに、ハンガリーのビクトル・オルバーン、トルコのエルドアン……。彼らは全員、民主的な選挙で選ばれていますが、権力を用いて法を覆しています。法廷に詰めかけて、法の支配を無視し、法システムを弱体化させています。彼らは、反リベラルな民主主義を体現しているのです。

インドも同様です。モディ首相は、選挙で選ばれています。民主的に指名されているわけです。ですが、彼はインドのムスリムの人権を奪っています。司法との関係においても、報道の面でも、法の外部で行動しています。このような傾向は、インドのシステムの他の面でも見られます。反リベラルな民主主義の一例です。

――では、「リベラリズムに対する人々の不満」の中心には何があるのでしょうか。

それは、立場によって異なります。米国や欧州の若年層にとって気に食わないのは、「リベラリズムが多くの経済的な不平等を生み出すこと」です。この不平等は、日本を除き、米国や欧州で、ここ30年から40年の間に拡大しています。ですから、リベラリズムは、社会正義に不可欠である平等な結果に結びついていないと思われています。また、人種的なマイノリティや、女性あるいはゲイやレズビアンの権利を適切に扱っていないと思われています。

ですが、右側が感じる不満はやや異なります。リベラル派は「人間は全員が平等な権利を持つ」と信じています。一方、ナショナリストは、人種などに基づいて特定の集団に対して、優越的な特別な力を与えようとします。

多くのナショナリストは、「リベラルな社会は多様性に寛容すぎる」と感じています。ですから、彼らは国家のアイデンティティが特定の集団に有利になるように望んでいます。ここ20年で多くの移民が国境を越えるようになりましたが、この点でナショナリズムやポピュリズムを刺激しているのです。

■リベラリズムを支える「コミュニティ」を創設せよ

——民主主義の中にあっても、幅広い政治勢力で不満がたまっているのですね。あなたは、著書『歴史の終わり』で、リベラリズムの本質的な弱点を論じています。「リベラルな民主主義は自己完結しないものだ」と述べていました。それは「リベラリズムそのものからは生まれてこないコミュニティ（共同体）に依存しているからだ」と。

米国の民主主義を分析したフランスの思想家、アレクシ・ド・トクヴィルは「正しく理解された自己利益」の重要性を強調しました。しかし、自分の利益を正しく把握するのは、実はとても難しいことです。リベラルな価値観では、自己利益や個人主義を強調するあまり、リベラル民主主義の力である自律性を蝕んでいるのかもしれません。この点についてはどのように考えていますか。

たしかに、トクヴィルは「正しく理解された自己利益」について論じています。ですが「米国人の連帯の技法」にも触れています。「米国人は、様々な目的で自発的に連帯を生み出すのが得意である」とも述べています。これは実のところ、質の良い民主主義を維持することに関連する能力なのです。

リベラルな民主主義では、必ずしもすべての個人が自立して、自律的である必要はないからです。自由を発揮してしたいこととは、すなわち「コミュニティの創設」です。政府がセットして義務的に参加するコミュニティは一つもありません。それは北朝鮮のやり方です。

リベラルな社会では、教会の一員にもなれます。市民の集団や非営利組織の一員にもなれます。異なる目的の集団です。「他者と交流を持ちたい」という希望を満たすものです。コミュニティの一員として、他者に価値を感じてもらいたいのです。

リベラリズムは、細分化された個人を必然的にもたらすということはありません。ときにはそのように批判されることもありますが、非常にしっかりしたコミュニティを生み出す舞台にもなるのです。

リベラリズムに不満を感じることに関して私が言いたいのは、リベラリズムにはある種の文化的な要素が必要だということです。人は互いに信頼を寄せ合う必要があります。これは、信仰や文化や体験を共有する基盤となり得るものです。ですが、互いの信頼関係を失って、ともに取り組むことができなくなれば、リベラルな社会を維持するのは難しいでしょう。

――大変、興味深い指摘です。2022年の『フォーリン・アフェアーズ』誌で、あなたは「リベラル民主主義社会では価値の共有が必須だ」と述べています。トクヴィルの言葉で言う「心の習慣」です。またあなたは、リベラル民主主義社会では、そのような価値を公共心や

オープンマインド、寛容性そして公共の問題に対する前向きな関与といった具合に、優先順位をつける必要性を説いています。この点についてはどうお考えですか。

これは民主主義を考えるうえで、昔ながらの試みです。民主主義では、一定の団結が求められます。コミュニティのために犠牲を払う必要もあるでしょう。

その基本的な一例が、軍隊は攻撃を受ければ、自己を防衛します。それは、まさにウクライナ人がやっていることです。そこでは、一定の愛国心や公共心が必要になります。個別の課題では異なる意見を持つことが認められなければなりませんが、集団で何かを達成しないといけない局面で団結できるようにするには、一定の価値を共有していることが必要なのです。その一つが、国民としてのアイデンティティ(自己同一性)です。

国民としてのアイデンティティを考える際に、問題にぶち当たります。もしそれが強すぎたり、そして単一の宗教や人種だけを重視する排他的な原則であったりすれば、社会のある集団はそのアイデンティティの一部にはなり得ず、紛争の火種になってしまうでしょう。

リベラルな社会がうまくいくコツは、国民的なアイデンティティを持ちつつ、それを排外的なものにせず、文化が異なる人々でも積極的に容認できるようなものへと育てることです。

たとえば、言語は国民的なアイデンティティの重要な基盤ですね。ですが、言語は異なる人も学べます。もし話すことができれば、社会から認められます。それがリベラルな原則を損なうことはありません。

■アイデンティティは、民主主義を脅かすのか?

――あなたの著作である『歴史の終わり』は、とても有名な本です。しかし、この書籍であなたが「気概《きがい》」という大事なコンセプトを紹介していることに気づく人は多くありません。気概とは、「尊厳を認めてほしいという切なる願いをあらわす人間の心の状態のこと」です。この「気概」や「アイデンティティの承認欲求」といった問題は、国内外の問題を把握するために鍵となるコンセプトです。これについても解説をお願いします。

気概とは、「尊重・承認されたい」という欲求のことです。これには、二つの形態があります。まず「対等願望」と呼ばれるものです。ギリシャ語で「平等に尊重される」という意味です。これは、民主社会の基本的な特徴です。平等に扱われなかったり、他の特定の人から蔑まれたりすれば、とても憤慨しますからね。

次は「優越願望」と呼ばれる現象です。これもギリシャ語ですが、「他者よりも多くを欲する」という意味です。名誉や栄光をより多く求めることです。

「尊重されたい」と願う人間心理の同じ部分ではありますが、異なる二つの形態があるのです。ある人は平等に扱われたいと願い、他のある人は、別の人よりも優遇されたいと願うのです。このどちらも、民主主義社会では起こり得るのです。

現在起こっているのは、社会のエリート層から尊重されていないと感じる多くの人が、ポピュリスト政党に投票しているということです。米国や欧州、あるいはその他の国々で目にしているのは、大都市在住で教育水準の高い人々は、よりリベラルな傾向にあるということです。高い教育の影響によって、自分と同程度の教育を受けていない人、あるいは小さな街や田舎に暮らす人などを下に見ることが、しばしばあります。これはすさまじい対等願望を誘発します。ここでは、エリートに対する敵意とか怒りです。

こうしたものこそ、トランプやエルドアンやオルバーンが利用しているものです。各国で教育水準の高いエリートから、ぞんざいな扱いを受けている人々の怒りをうまく利用しているのです。これは（選挙などの）結果にもあらわれています。大都市の人はよりリベラルな政党に投票する傾向にあり、田舎や小規模な街の人はポピュリスト政党に投票する傾向にあります。優越願望のほうはと言うと、ドナルド・トランプが完璧な例でしょう。「トランプの最も大きな特徴は何か？」と問うなら、何でも最高でないと気が済まないということでしょう。彼は本質的に最高であることを求めているわけではありません。ただ、全員に頭を下げてほしいのです。これは民衆扇動に通じます。

米国の建国の父たちはこの点を、大いに憂慮していました。「聞こえの良いことだけを言ってこうした恨みを増大させて、民衆の支持を得ることに長けたリーダーが民主主義社会では出現するだろう」と。

他者よりも偉大になりたいと願うリーダーは、平等に扱われていないと感じる人の恨みを活用します。これが民主主義を脅かすのです。彼らは、それをはるか昔の世界で目にしていましたから、米国で同じことが起こることを危惧していたのです。

――あなたは『歴史の終わり』で、トランプ氏にも言及していますね。

当時の彼は、ただの実業家に過ぎませんでした。「資本主義経済において、他者よりも偉大になりたい」「他者よりも認められたい」という欲求、お金持ちと認められるのは、優越願望の安全な形態かもしれません。より多くの富を生み出せば、巨大な存在の実業家になれるからです。巨大企業を起こせば、より多くの承認欲求を満たしてくれるでしょう。

当時の私が予測できなかったのは、ドナルド・トランプはそれだけでは満足しなかったことです。政治の世界でも承認欲求を発揮して、政治に参入したのです。その結果、みんなが苦しんでいます。

優れた大統領やリーダーになるには、良い人格が必要なのです。その点、トランプは考えられる限り、最悪の人格を保有しています。リーダーとして、これ以上考えつかないほど最悪です。自己中心的で嘘つきで、公共心はありません。何事も個人の利益になるかどうかで判断して、公の利益は考えもしません。そんな人に資格はありません。

些細なことでさえ、真実を語りません。たとえば、就任式に群衆がどれくらい集まったかということも、本当のことは言いませんでした。オバマの就任式のほうが多くの人を集めたことに、我慢ならなかったので嘘をついたのです。

とても縁起の良い兆しとは言えませんが、米国政治や米国社会でとても心配なのは、人々の関心が薄いことです。彼のことを好きな人も大勢いました。また彼の周囲には、カルト的に崇拝する人もいました。どんな振る舞いも言い訳も容認しました。2020年の大統領選挙の結果を受け入れるのを拒み、平和的な権力の移譲を妨げるべく暴力に訴えました。基盤となる民主主義制度に対する、あれ以上の攻撃は考えつきもしません。ですが、米国人の3分の1ほどが、彼の行動を正当化しています。

これが、米国社会が抱える病理の一部です。すべてが彼の責任とは言いません。異なる類の憤慨をため込んでいるとも言えますが、歴史上この特定の時間に、このような他に例を見ない悪質なリーダーが出現したのは、運のなさと言えます。

■全地球規模で起こり始めている「分断」の乗り越え方

——では、あなたはグローバルな視点で、世界をどう見ていますか。現在は、第二次世界大戦以降で最大の転換点にあると感じます。独裁的な中国は力を伸長していますし、ロシアはウクライナに侵攻しました。さらに、グローバルサウスと呼ばれる新興国の存在感が増しています。

一方で、民主主義国家内では混乱が起きています。社会経済やアイデンティティの異なるグループごとに、分断が起きています。次の数十年間で、世界はどうなると考えていますか。

今の世界には、新たな分断があります。民主主義と非民主主義の分断。ですが、これは将来的に最も激しい分断とはならないでしょう。たとえばBRICSサミットがありましたね。ブラジル、ロシア、インド、中国、南アフリカの非同盟グループです。ですが、このグループをよく見れば、サミットを開催して協力関係を謳《うた》っているものの立場の異なる国々なのです。

インドと中国は安全保障の問題を抱えています。国境地帯で紛争がありますからね。インドは一帯一路政策を好ましく思っていません。

ですから、この両国は潜在的なライバルなのです。政治システムも大きく異なります。インドは、反リベラルな方向に舵を切ったとはいえ民主主義国家です。一方の中国は、独裁国家です。

われわれが目にするのは、多極的な世界です。現在の米国は、1989年から2008年の20年間のような覇権を世界に及ぼす存在ではなくなりました。しかし、巨大な存在であることは間違いありません。欧州も、同様に存在感があります。日本と韓国も主要なプレーヤーです。ですが、力は分散されるでしょう。今後直面する課題ごとに、異なる同盟関係が形成されていくことでしょう。

たとえば、バイデン大統領は独裁国のベトナムを訪問しました。ベトナムは、反中国でもあります。地政学的な狙いがあるので、その方向に外交政策を進めているのでしょう。

東アジアで、日本は民主主義とリベラルな価値を守る、いかりのような存在です。2022年の時点では世界3位の経済大国ですし、重要なプレーヤーです。興味深いと思うのは、1990年代はじめにバブルが崩壊して、「日本はピークを過ぎた」と多くの人が感じましたが、ここ数年、好調を維持しています。経済は再び成長しています。

一方で日本は、長期的な人口減少に直面しています。ですが、これはアジアの他の諸国も同じです。中国の人口減少は、日本よりも大きなものです。先進国はこの問題に直面していますが、日本の政治状況は、欧州の国々よりもずっと安定しています。もちろん、米国よりもです。

また、国民としてのアイデンティティも確立しています。日本は安定した島と言えるでしょう。日本にとっての課題は、1945年以降は平和国家になったことでしょう。これは米国が求めたことでした。１９４５年以降のドイツに対して、米国が望んだことでもあります。

ですが、アジアのパワーバランスは変化しています。新たな脅威が生まれており、それには経済的な力だけではなく、軍事戦略的な力も必要です。そのような役割を担うのかどうか、日本は決断しないといけません。多くの日本人が幾世代にもわたって、平和的なメンタリティを育んできましたので、とても難しい決断になるでしょう。

ですが、ウクライナへの侵攻を見れば、軍事力というのは、今でもグローバル政治において重要な要素なのです。ですから、そのような世界で日本の果たすべき役割を真剣に検討すべきでしょう。

■歴史は、本当にまた繰り返されるのか？

——多くの日本人にとって、ロシアがウクライナに侵攻したことは警鐘になりました。ロシアの侵攻を新たな時代の先駆けとすると、これからの時代はどのように特徴づけられるでしょう。

たとえば、歴史家のエリック・ホブズボームは、１９１４年から１９９１年までの期間を「短い

20世紀」と呼んでいます。長いにせよ短いにせよ、21世紀はどのような世紀と言えるでしょうか。

この問いに答えるのは、大変難しいです。なぜなら、われわれの未来は、結果を見ることができない、多くの事象に左右されているからです。

たとえば、トランプが2024年に再選されれば、米国の力の末期的衰退となるでしょう。また、その結果として、世界も違ったように見えてくるでしょう。

あるいは、ウクライナがロシアの侵攻に持ちこたえて、どうにか打ち勝って、立場を逆転させることができれば、欧州の物事の方向性は大きく変わるでしょう。それは、軍事力を行使しようとする、他の国々が踏みとどまるための良い教訓になります。

もしウクライナが敗北すれば、その逆の効果があります。つけあがる国もあるでしょう。

こうした短期的な事象の結果を、われわれはまだ把握できていません。ですから、長期的な予測を立てるのは極めて難しいと言えます。

――『レ・ミゼラブル』でヴィクトル・ユーゴーは書いています。「すべての歴史は退屈な繰り返し、ある世紀も別の世紀の盗用だ」と。昨今の情勢は第二次世界大戦に向かっていった戦

間期の状況に似ている、と多くの人が感じています。この比較について、あなたはどう考えていますか。

それが正しくないことを願っています。歴史は単に繰り返したりはしません。仮に米国と中国の戦争があれば、大惨事になるでしょう。われわれが現在保持している武器は、空中戦で戦っていたときよりもはるかに強大です。第二次世界大戦は惨事でしたが、第三次世界大戦はさらに大惨事になるでしょう。

それを考えるだけでも、核兵器の使用には、極端に慎重になるべきでしょう。広島への原爆投下から、80年近く経過しています。核兵器の使用はそれからありませんし、今後もそうであると願います。世界大戦の再現を防ぐものの一つになるかもしれません。

■覇権国家はますます衰退し、中規模国家が力を増す

――ウクライナについて、米国内では意見の対立が増しています。

冷戦後、とりわけ9・11の攻撃以降、米国は巨費をかけて、世界の指導的立場にある国とし

て必要だし、その立場を正当化できると考える取り組みを推進してきました。

ですが、その費用は大きくかさみ、結果の評価は入り混じっています。これを踏まえれば、ウクライナに大規模な援助をすることについて、米国民の支持が低下している理由を理解するのは難しいことではないのかもしれません。ウクライナとロシアに対して、米国はどのように対応すべきでしょうか。

私は、バイデン政権に失望しました。軍事装備品の提供は良かったのですが、もっとうまくできたはずです。F－16戦闘機と長距離ミサイルの提供をもっと早くすべきでした。それがあればウクライナも、戦果をあげていたでしょう。

アフガニスタンやイラクでの戦争と、今回は異なります。戦う理由がまったく異なります。ウクライナは民主主義国家です。米国はそのはるかに優れたシステムをサポートしています。プーチンが制限のない拡張主義者で、野望を抱いているのは間違いありません。米国が戦った中東での戦争とは事情が異なります。

こうした理由から、これまでよりも大きな意見の一致があります。違ったレンズを通して見てみましょう。ウクライナへのサポートを支持する点で、多くの共和党議員を含めてアメリカ議会の団結は強固なものになっています。今後は変化があるかもしれませんが、そうした支持の力は、支持が低下しだしたことよりもより注目を集めることだと思います。ですが、これも結果によって大きく変わるでしょう。もし膠着《こうちゃく》状態が何年も続けば、支持の力もしぼむでしょう。アフガニスタンとイラクでそのような問題を抱えていました。その紛争には、明確な終わりがあったようには思えませんでした。ですが、ウクライナが戦果をあげて、ロシアを領土から駆逐すれば、それは賢い投資と受け止められるでしょう。

プーチンがトランプの再選を望んでいるのは、間違いないでしょう。そうなれば、米国からウクライナへの支援は止まります。それは明白です。トランプとその取り巻きのタッカー・カールソンなどは、ロシアのテレビで毎晩のように称賛されています。それは、彼らの戦略の一部です。

――ロシアのウクライナ侵攻によって、米国の覇権国家としての役割が再び強まることはあるでしょうか。

米国の覇権国家としての役割が戻ることは決してありません。アメリカがあのような役割を担ったのは、極めて例外的な事態でした。ソ連が崩壊し、中国も改革が始まったばかりだったという時期に起因していました。この結果、力がアメリカ一国にいびつなバランスで集中したのです。通常では考えられないようなことでした。

今は、ロシアと中国がいます。また、欧州や中東にも力の重心があります。米国は、国内の分断で弱体化しています。ベルリンの壁崩壊後の20年間のような時代が再びやってくると考えるのは幻想です。

ロシアと中国の政治システムは異なります。両国に共通するのは、独裁国であることですが、システムはかなり異なっています。そして、経済も異なっています。それに利害の衝突もありますね。

グローバルサウスはまとまりのあるブロックとは言えません。ＢＲＩＣＳでは、インドと中国が最大の国です。しかし、互いに好ましい相手だとは思っていません。戦略的なライバルであるため、互いに協力関係を構築するには至っていません。

今後は多極化が一層進行して、その中で代わりの同盟関係が生まれることで、中規模の力を持った多くの国が、異なるブロックの間を行ったり来たりするでしょう。

たとえば、トルコを考えてみましょう。シリアやリビアやエチオピアなど、世界の多くの場所で、トルコは決定的な役割を果たしています。しかし、ラテンアメリカやアジアではそうではありません。このような中規模の力を持つ国々は、各地域で重要な役割を果たすでしょう。

■テクノロジーは、自由民主主義に貢献できるのか？

――あなたは、情報技術の開発が、人間の本質と政治的な秩序に何をもたらすのか考えてこられました。人が考え、意思疎通をすることで、政治的な行動に関与するときには、言葉が鍵になります。言論の自由を確保することは、自由民主主義社会の最も大事な要素です。ですが、AIや生成AIのような新しいテクノロジーが開発されて、人類は真の意味で自由になったとは言えないかもしれません。巨大テクノロジー企業、または中国やロシアのような権威主義的な国に力が集中して、むしろ状況は悪化していくという予想もあります。

あなたは、様々な問題を一度に述べました。整理してお話ししましょう。
まず一つ目の大きな問題は、インターネットそのものです。

情報の流れは、かつて特定のエリート層によって管理されていました。かつては、メディアや企業、もしくは政府が、政治に関するニュースや情報の選別や認証をする役割を担っていました。しかし、その役割は過去のものになりました。なぜなら、今は、誰でも好きなことを表現できるようになったからです。なので、以前のように、事実に関する情報に同じような信頼を置けなくなりました。

ワクチンの接種拒否を例にしましょう。20年前では、社会の縁以外では問題にすらならなかったでしょう。しかし現代では、共和党が「ワクチンは健康に悪い」と主張しています。馬鹿げた見解ですが、いまだにそう信じています。かつては大きな権威が、「何が大事な情報で、何がそうでないのか」を伝えてくれていました。そうした信頼性が失われた世界でのみ、こうした主張は可能になります。これが、問題の一つの側面です。

そして、二つ目の問題は、ソーシャルメディアの武器化です。ソーシャルメディアでは、特定のグループをターゲットにして、以前よりも洗練されたやり口で、人々が揺さぶりをかけられています。

また、巨大なソーシャルメディアプラットフォームに力が集中してしまっているのも問題です。イーロン・マスクがツイッターを買収してからのことを考えてみてください。ツイッターが左派的な方向に向かっていたのを、彼は気に入らなくて買収してしまいました。一人の裕福な個人の影響で、ツイッターは突然右派的な方向に傾いて、陰謀論などをまき散らしています。これは、民主主義にとって大きな問題です。私的な力はこのように集中させるべきではないのです。

さらに三つ目の問題は、生成AIについてです。「生成AIが究極的にどのようなインパクトをもたらすのか」。これについては、まだ誰も理解できていません。「仕事が奪われる」という懸念の声もありますが、しっかり理解するには時期尚早でしょう。

これらの技術は、平等を推進するかもしれません。たとえば、スキルや教育水準が低い人にとっては大きな力になるかもしれません。これについては、まだわからないことのほうが多いのです。

生成AIのインパクトについてはまだ不明ですが、一方で、理解できるテクノロジーもあります。それは、ブロックチェーンと暗号資産です。

ビットコインの登場から10年以上が経過しました。しかし現在では、誰も使っていませんね。これらは、お金にまつわる人類の金融の歴史において最大の詐欺の一つである、と私は思っています。

こうしたテクノロジーのいくつかは、崩壊するバブルです。それと比較すると、生成AIは違います。とてもパワフルで、変革を起こすものになるでしょう。

■75年間の平和に「倦怠感《けんたい》」を感じる人々

――最後に、リベラリズムの話に戻りましょう。あなたは、リベラリズムへの希望をまだ失ってはいません。その理由を聞かせてください。

こうしたものは、世代的なサイクルで進みます。反リベラルな社会で紛争を経験したり、人権を剝奪するような独裁制のもとで暮らしていたりすれば、リベラリズムは大きな支持を得ます。一方で、人権が保障される体制のもとで、人々はとても幸せに生活を送ることができます。人権が保障される体制とは、移動の自由、思想の自由、言論の自由、批判する自由が奪われない体制です。

私たちは、過去75年にわたって平和で繁栄したリベラルな民主主義のもと暮らしてきました。この期間で、人々はリベラリズムに代わるもののひどさを忘れてしまったのです。「やはり、リベラリズムは良いものだった」と気づく前に、私たちは反リベラリズムの期間を体験しなければならないのかもしれません。

インドはその好例です。インドでは、地方で暴力的な事態が数多く発生する余地があります。モディ首相は、そのような道をたどるでしょう。インドは、1世代ほどこうした地域間の暴力を経験して、はじめて気づくことになるでしょう。「リベラルな体制に戻る時が来たかもしれない。信仰を理由に差別されることはなかったから」と。

グローバル化が進んで、欧州の人々が比較的自由で繁栄した19世紀の後半から20世紀の前半、人々は平和な時を過ごしました。ですが、それでも欧州が戦争に向かうのは避けられませんでした。

これに関しても、先ほどと同じような世代に関する議論ができるでしょう。1914年の欧州は、1世紀ほど続く平和を謳歌していました。大規模な戦争はありませんでした。たしかに普仏戦争はありました。しかし、それは短期間で終結しました。ある意味では、人々は退屈していたのかもしれません。欧州は、物質的に大きな進歩を見せた世紀でした。しかし、人々はそれ以上のことを望みました。

そして、それは残念なことに、二つの世界大戦という形で実現することになりました。私たちもそのような時を過ごすことになるかもしれません。

大国間で比較的平和が保たれた75年間を経て、人々がそれに倦怠を感じて、別の何かを欲するようになっているのかもしれません。

――最後にトクヴィルの本からの引用です。『アンシァン・レジームと革命』で彼はこう述べています。「自由には本質的に引き寄せられるものがある。独特の魅力、自由がもたらす偶発的な利害とはまた別のもの、それが歴史を通じて自由の偉大な守護者を強く捉えてきた。彼らが自由を愛したのは神と法の唯一の統治のもとで、自由に発言し、行動し、呼吸することができるという、喜びを愛したからである。自由以外のもののために自由を求める者は奴隷に過ぎない」。ここは、彼の偉大な著作の中で、私が一番好きな言葉です。トクヴィルがここで述べたように、自由の本質的な価値や力が人類を導く原則になるのでしょうか。

ここで私は、とても重要な人間の欲望について答えることになります。その欲望とは「自己決定の欲望」です。つまり、自分の意思で選択ができる状態のことです。その意味では、創造性とか表現とも言えるでしょう。

ここで「リベラルな社会が生み出すのに長けているものとは何か」について考えてみましょう。簡単に言うと、リベラルな社会では、経済的な生産性が高くなります。真の意味で自由な市場があって、多くの起業家がいれば、多くの新しいものが生み出されます。停滞した独裁制では、そのようなことは起こりません。

また、芸術の面ではどうでしょうか。人類史において、創造性にあふれて芸術表現が盛んな時代のことを考えてみましょう。その多くは、どういう時代だったでしょうか。そうした社会は、現代的な意味ではリベラルな社会ではないかもしれません。しかし、思想の自由があって、自身を表現できた時代でした。

こうしたものは、自由な社会がもたらす肯定的な美徳だと思います。それをあまりにも普通に感じたり、当たり前のものだと感じるようになったりするとき、われわれはその価値を見失いがちになってしまうのです。

聞き手／朝日新聞国際報道部次長　青山直篤

※本章のエマニュエル・トッド氏とフランシス・フクヤマ氏の発言を受け、第2章の鼎談、および第3章の対談を行いました。

AI×Technology

2

「テクノロジー」は、世界をいかに変革するか?

Steve Lohr
スティーブ・ロー

ニューヨーク・タイムズのテクノロジー、経済、ビジネス部門の記者。ニューヨーク・タイムズに入社後、東京、マニラ、ロンドンで海外特派員として約10年間の経験を積み、現在に至る。主な著書に、データサイエンスと意思決定の関係性を分析した『Data-ism』（未邦訳）、ソフトウェアとプログラミングの歴史をまとめた『Go To』（未邦訳）など。

技術という「暴走列車」の終着駅はどこか？

ChatGPTの開発者、サム・アルトマンは言った。
「進化とは暴走列車であり、止められない」と。
われわれが途中下車の不可能な旅の途上にあるならば、
人類の終着駅には、何が待っているのか？

■テクノロジーは何をもたらすのか？

──２０２２年11月にChatGPTが登場してから、全世界が生成ＡＩに注目するようになりました。ベテランのテクノロジー記者のあなたに、今のＡＩの現状と今後の可能性、そして私たちがどう付き合っていけばいいかについてお伺いしていきます。まずは、ChatGPT発表以来の状況、ＡＩに関する議論について、どう見ていらっしゃいますか。

歴史は繰り返すものではなく、「韻を踏むもの」だと言われています。かつて、１９９０年代に商業化されたインターネットも、巨大で重要なテクノロジーと言われていました。その際にもメディアや小売り業、広告業界などを、混乱の渦に巻き込むだろうとうわさされていました。そして、実際にそうなりました。

10年後にＩＴバブルが弾けると、新たなテクノロジー改革も進みました。そして現在では、高速通信が普及し、デジタル決済が一般化し、ストリーミング視聴が当たり前になっています。

このように、新たなテクノロジーが登場して普及するまで――熱狂的に迎えられてから実用化されるまで――には、時間差が生じます。過去の蒸気機関、電気、インターネットといった発明と同じです。

■サム・アルトマン氏が非公開の場で語ったこと

――このような情勢の中、あなたは、渦中の人物でもあるChatGPTを公開したOpenAI社のサム・アルトマンCEOに最近お会いしたと聞きました。どんな状況で話をして、彼に対してどんな印象を抱きましたか。

サムと会ったのは、『ニューヨーク・タイムズ』紙の編集主幹たちが、サンフランシスコで開いた会合の席でのことでした。

その際に私は、本人と直接、非公開で1時間ほど話す機会をいただけました。多くを明かすことはできませんが、その中で最も印象的だったのが「ＡＩの世界で交わされているという議論」についての話です。

それはつまり「膨大なデータをもとに、賢いソフトウェアを構築する」という現在の開発方法を用いることで、ＡＩはどこまで進化するのか、というものです。

サムはこのように言っていました。「進化とは暴走列車であり、なにものもそれを止めることはできない。もしかしたら、これは天国まで伸び続ける木のようなものかもしれない」と。

ChatGPTを開発したサム・アルトマン氏

つまり、われわれが今見ているものは、途中駅に過ぎない。実際に暴走列車が行き着くのは、人間の仕事の大半をこなせるＡＩ（人間のように、理解して学習して実行できる知能）だということでした。われわれがこれまで見てきたようなＡＩが行っているのは、大規模なパターン照合に過ぎないのです。すなわち、本来の意味では、ＡＩは世界を理解していないのです。

たとえば、テーブルの端に置いてある水の

入ったコップが傾き始めたとしましょう。この後、何が起こるのかは、3歳児でもわかりますね。つまり、コップが床に落ちて、一面が水びたしになる。

ところが、グラスがテーブルの端っこから落下し、床に落ちて水びたしになっている様子を、何千回から何万回もビデオで見なければ、AIシステムは、この後何が起こるのかを知ることも、予測することもできません。

しかし、このような状況だと知っていても、サムはとても楽観的です。それは、シリコンバレーに勤める人々も、世界中のAI関連の仕事をしている人たちも同じです。

なぜそのように考えているのか。それには理由があります。彼らが見ているのは、AIが、現在置かれている状況ではないからです。

つまり、彼らが見ているのは、これまでのAIがたどってきた進化の軌跡なのです。

OpenAIの言語モデル（GPT-3）は2020年に発表されました。その後、会話できるようなバージョンを搭載した「ChatGPT」が登場してくるのは、2022年11月のことです。開発に携わった人たちは、このChatGPTとその進歩の速さに心底驚いていました。

たしかに、暴走列車に乗っているのかもしれませんが、AIは改良を重ねて進化し続けるので、これからも様々な問題を解決してくれるだろう、という考えが彼らの根底にはあります。それゆえに多くの人は、今後のＡＩの進歩についても楽観視しているのです。

■生成ＡＩのことを、本当に信用できるか

――ChatGPTの登場以来、私たちはこの技術がいったいどんなものなのかを理解しようとしている段階だと思います。これまで実際に使ってみて、気づいたことはありますか。

ここで申し上げた会話型の生成ＡＩの先にあるのが、自然な会話を行えるＡＩです。これは、質問に対して信頼できる答えを流暢な言葉で出してくれます。しかし、その「正確さ」には当たり外れがあります。

典型的な例を挙げましょう。かつて私はChatGPTに対して、「人工知能に関する記事が『ニューヨーク・タイムズ』紙に最初に掲載されたのは、いつでどんな記事でしたか？」と簡単な質問をぶつけてみました。

ChatGPTは自信満々に以下のように答えました。「１９５６年のダートマス大学の会議の記事が最初です」と。ちなみに、この記事は「いずれ機械が学ぶようになり、科学者が

予測した問題を解決するようになるだろう」といった見出しがついていたと、ChatGPTは付け加えてくれました。

実は、私はこの会議のことを知っていました。数年前にソフトウェア・プログラミングの歴史を書いた際に、「人工知能」（AI）という言葉を作ったコンピュータ科学者のジョン・マッカーシーにインタビューする機会がありました。そのインタビューは、彼が亡くなる前に在籍していたスタンフォード大学で行われました。「人工知能とは、会議の目的が何かを説明するために、私が捻《ひね》り出した言葉でね。1956年にダートマスで開催予定の会議の資金調達のために、ロックフェラー財団に助成金を申請するために必要だったんだ」と彼は言っていました。このことを踏まえると、ChatGPTが出した答えは、あながち的外れではありません。

しかし、会社のデータベースで、この見出しを検索してみたところ、どこにも見つかりません。さらには、グーグルなどの検索エンジンでも検索しました。が、結果は同じ。そして、――デジタル化される前の資料を含め――何でも見つけられるツールを持っている、社内の調べ物が得意な人たちにも調査を頼みました。しかし、そんな見出しの記事は存在しなかった。

このように、人工知能にはまだ「正確さ」に問題があるわけです。だから、私はＡＩで遊んだことはありますが、日常的に使っているわけではありません。

ChatGPTは、情報の出所までは教えてくれません。加えて、ChatGPTにインプットされている情報は、1〜2年前くらいのものであり、現時点の情報はまだインプットされていません。

私がやっているのは、独自の調査なのです。つまり、政府の統計や研究論文に目を通したり、現実世界でテクノロジーを利用している人たちに話を聞いたりといったことです。こうしたことをＡＩは代わりにやってくれません。

たとえば、アメリカのコールセンターで働く労働者数の推移を調べるために、ChatGPTを使ったところで、「それなら労働統計局に問い合わせたら」と人工知能に返答されるのがオチです。

こんなふうに、私はChatGPTを使っているわけではありませんが、私の同僚で使っている人は多くいます。記事を書くときの取っ掛かりとして使う人も多くいるのです。

ChatGPTが役に立ちそうな場面は、私にもたくさん思い浮かべられます。しかし、このツールが、実際に何をしてくれるのかについてはわかりません。だから、日常的に利用してはいませんし、その正確さを信用してもいないのです。

また、「ウィキペディアがなかったら、ChatGPTは存在していなかった」とも言われています。そこでは、ウィキペディアで磨きをかけられた知識が使われているからです。

もっとも、ウィキペディアには脚注があり、出典をたどることができます。満足するかどうかは別にして、「元の研究資料が何であるか」を一応は知ることができます。

でも、生成ＡＩでは、それができません。むろん進歩はしています。繰り返しにはなりますが、その進歩のスピードがどれほどなのかについて、本当のところはわかっていないのです。

■ＡＩは、本当に人間の仕事を奪い得るのか？

――こういった新しいツールを、一般の人たちが普通に利用することについて、あなたはどのような意見をお持ちですか。人々の生活や教育、仕事の向上に役立つのでしょうか。

生成ＡＩの出現により、私たちは数十年にわたり議論されてきたことに、立ち戻らざるを得なくなりました。その議論には、二つの立場があります。

一つは、「AIはインテリジェント・アシスタントとして役に立つ」という肯定的な立場。もう一つは、「自動化された技術は、人の仕事を奪ってしまう」という否定的な立場です。

人間の業務とは、技能の束なのです。AIによって技能のいくつかは自動化されました。なので、これまでの常識として、AIは仕事の効率化を図れるものだと考えられてきました。その一方で、「AIが仕事を破壊した」という研究の結果もいくつか発表されています。

生成AIの出現は、こうした問題をまた浮上させました。私としては「思いのほか早く議論の俎上に載ってきた」と思っています。

今のところ、AIが得意とする文書作成は、かなり初歩的なレベルです。プレスリリースを書いたり、顧客に向けたダイレクトメールを作成したりするのがようやくできるようになってきた程度です。

なので、コンピュータ・プログラマーがウェブサイトを立ち上げる際のベースを作ることはできても、「医師や弁護士の仕事を代わりにこなす」といった高いレベルにまでは達していません。少なくとも、2023年の段階では。

一つ、これに関する例を挙げましょう。マッキンゼーやゴールドマン・サックスなどといったコンサルティング会社は、AIの生産性や雇用への影響を調査しています。その結果、何千万人という雇用に影響する可能性があると言っています。ただし、「影響」が何を意味しているのかは、はっきりわかりません。この手の調査では、「技能ごとに分類して予測する」という方法を取っているため、ほとんどの仕事で、様々な技能を組み合わせることが過小評価されている可能性もあります。

人と接するような仕事では、いろいろな技能を組み合わせることも求められます。典型的な例が、カスタマーサービスです。アメリカでは、コールセンターで200万人以上が働いています。チャットボットがすごく優秀であれば、近い将来、こういった職場に進出してくるかもしれません。

企業はカスタマーサービスの電話応答の自動化に取り組んできましたが、——定型文を読み上げるだけの初歩的なものを除くと——あらゆる電話に応答するのは、現時点では、AIの手に余ってしまうことがわかってきました。

このように現段階では、インテリジェント・アシスタントは人々を失業に追い込むというよりも、助けている段階です。状況を見極める必要があるでしょう。タイミングと進歩の速度によるところが大きいですからね。そのあたりはまだよくわかっていません。初期の恩恵は過大評価される傾向もありますし。

その典型的な一例が、自動運転車です。10年前には、街中が自動運転車だらけになると予測されていました。しかし、自動運転車はテストコースで走ることができても、市街地や高速道路となるとまだ話は別なのです。「信号無視」や横断禁止場所からの飛び出しなどの予測不能な事態を認識することは、人間だってかなり難しいです。

長い年月をかけて行われてきた仕事が自動化されていくのは、今後さらに進んでいくでしょう。農業を例に挙げれば、世界中で――とりわけ先進国では――20世紀初頭の農業従事者数のわずか数%の人たちによって、当時よりもより多くの農産物を生産しています。製造業でも同様です。雇用数は減っていますが、生産量は増えています。

■実は言われているほど、AIは賢くない

――ChatGPTをはじめ、グーグル、マイクロソフトなども様々なAIツールを相次いで発表

していますAIツールを使ううえで、注意すべきことはありますか。

「信用しすぎるな」ということです。古い言い回しになりますが、「導かれても、支配されるな」と。AIツールは見た目ほど優れていませんし、賢くもありません。しかし、役に立つのであれば、ぜひ試してみてください。

たとえば医師の場合では、患者の症状や検査結果をChatGPTに丸投げし、「診断して」と頼むことはできません。現在、米国ではHIPAA法（医療情報の電子化の推進およびプライバシー保護やセキュリティ確保について定めた法律）に抵触しない範囲で、AIツールをどう使うかが模索されています。

AIツールが仕事を根本的に変えるのは、まだ先の話でしょう。しかし、医療や法律の分野では、新たな技術の活用を模索している人たちもいます。

新技術を賢い相談役として用いて、「多くの文献を読む」など一人では無理なことをやってくれて、「こんなことも考えてみたらどうか」と助言してくれることを熱望している医師も少なからずいます。

日本が抱える少子高齢化問題は米国にはありません。しかし、生産性を高め、自動化をさらに進める必要があるのは、同じなのです。労働力不足は世界共通の深刻な問題です。

——日本のような高齢化社会では、一人暮らしの高齢者が増える一方です。その中には、孤独を抱える人もいます。生成AIのような新しいテクノロジーは、孤独を癒す助けになることもあるのでしょうか。

実は、その点はすでに実験されています。数年前には映画にもなりました。『her/世界でひとつの彼女』はまさにそれです。それに似たサービスはすでにあります。こうしたサービスの開発を担っているのは、主に若い人たちです。

また、精神衛生学の分野では、認知行動療法を自動化し普及するためのソフトウェア開発も行われています。あなたが言われるような「孤独の問題」に関してですが、こうした分野のものが便利な話し相手となり得ます。

これによって高齢者の孤立の問題がすべて片付くわけではありません。しかし少なくとも、一つは解決されるでしょう。この分野には大きな可能性があり、様々な取り組みがなされています。

■AIが影響を与えるのは「四つの分野」の雇用である

――ここで一度、雇用問題に話を戻します。AIが雇用に与える影響について、あなたは様々な取材を重ねてきたと思います。そのうえで、どんな分野の雇用が影響、もしくは痛手を受けるのでしょうか。

私が関心を持っているのは、影響が及ぶ範囲についてです。マッキンゼーの調査によると「最も影響を受ける分野が四つある」と言います。それは「カスタマーサービス」「マーケティングと営業」「ソフトウェア・エンジニアリング」それに「研究開発」の四つの分野です。

その特徴を挙げるとするならば、「賃金が一番安いところ」と「一番高いところ」と言えます。カスタマーサービスとは、コールセンターを指します。この分野は、自動化が進みつつあります。

コールセンターの仕事はきつくて離職率が高い。ですから、自動化が進むのは必ずしも

生成AIが与える影響を分野ごとに分析した図

Michael Chui、Eric Hazan、Roger Roberts、Alex Singla、Kate Smaje、Alex Sukharevsky、Lareina Yee、Rodney Zemme執筆「The economic potential of generative AI: The next productivity frontier」をもとに作成

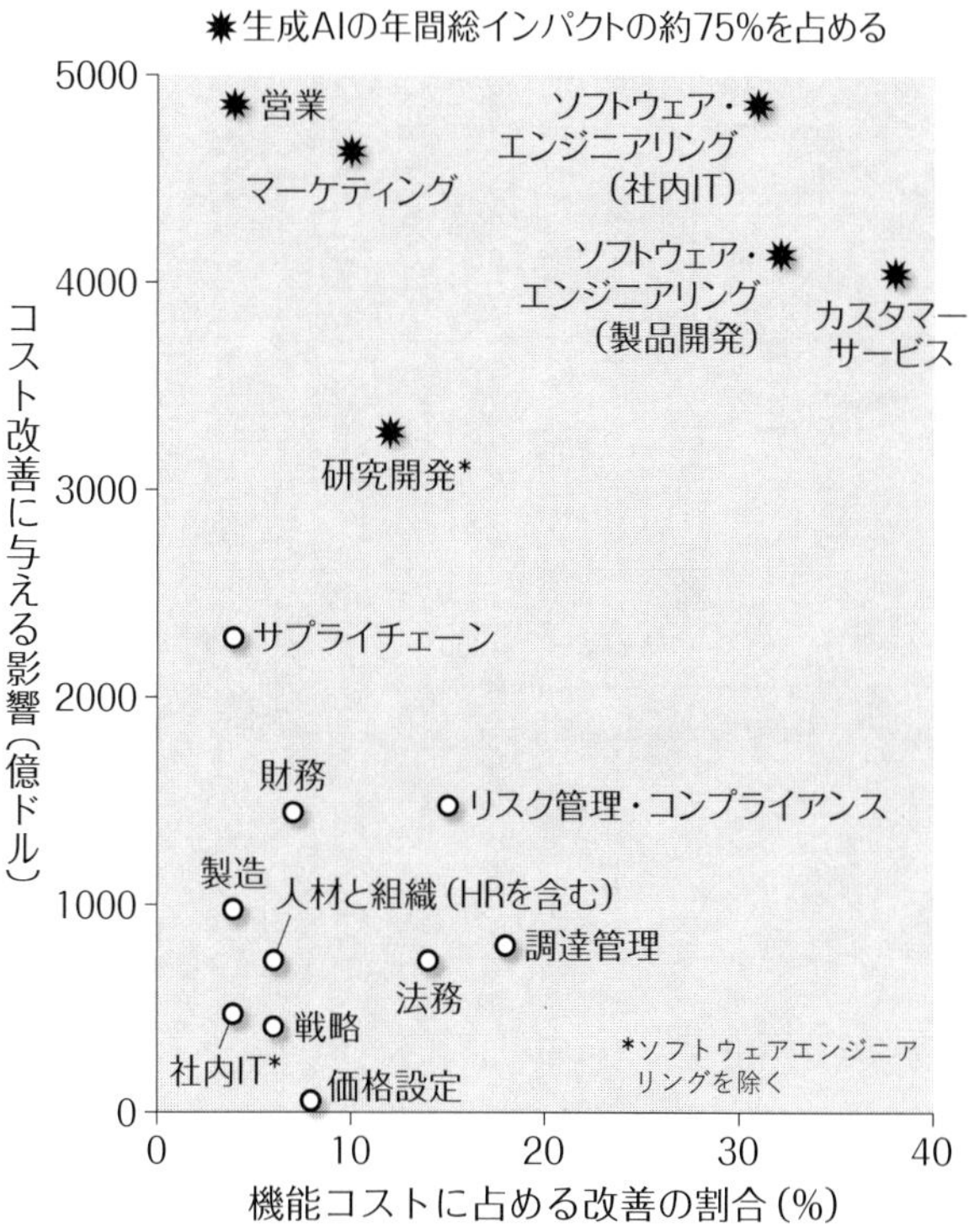

注記: インパクトを平均化したもの。
資料: Comparative Industry Service (CIS), IHS Markit; Oxford Economics; McKinsey Corporate and Business Functionsデータベース; McKinsey Manufacturing and Supply Chain 360; McKinsey Sales Navigator; Ignite, マッキンゼーデータベース; マッキンゼー分析

悪いことではない。有効な手段と言えるでしょう。

また、ソフトウェア・エンジニアリングの分野では、コードを書く作業中、ずっとインテリジェント・アシスタントが話しかけてくれます。それでも、ソフトウェア・エンジニアの需要は決して減りません。自明の理ではありますが、テクノロジー労働者はハイテク業界に集中しているわけではなく、あらゆる業界に広がっているからです。

ニューヨーク・タイムズも、例外ではありません。わが社の組合員（上層部を除くすべての職員が組合に所属）の30％は、テクノロジー労働者です。20年前とは様変わりしています。また、研究開発部門だけ見ると、その比率はもっと高くなります。ＡＩが研究者に取って代わることはできなくても、生産性や革新性の向上に寄与することはできます。

マーケティングや営業部門でも同様です。この15年間、ＡＩの利用は、ターゲット広告やおすすめ商品など、売り込みが成功する確率を上げることに焦点が置かれてきました。なので、生成ＡＩがマーケティング分野でより大きな成果をあげているのは、当然のことです。その分野の効率化は収益に直結します。そうなった場合には、インセンティブも高まるのも当然です。

このように見ていけば、ソフトウェア・エンジニアにとって、ＡＩは有能なアシスタントにはなっても、仕事自体を奪われることはないでしょう。

研究開発の分野では、弁護士と同じで、膨大な法律文献や科学文献を読み込んで検索することを自動化できます。また見落としも防げます。そこでのＡＩとは、いわば顕微鏡のようなものです。顕微鏡によって、これまで見えなかったものが突如はっきり見えるようになり、生物の仕組みの解明の手掛かりが与えられた。今まで、私たちがＡＩに求めていたのはそういう機能でした。

２０２２年11月（ChatGPTが公開された月）以前には、ディープラーニング（深層学習）に焦点が当てられ、画像認識や単語認識、パターン識別によって、どこを見ればいいのかというところまで予測できるようになりました。

そこに登場したのが、生成ＡＩです。たとえば分子設計や製薬において、試験管やペトリ皿で行われていた実験がコンピュータ・シミュレーションとしてできるようになりました。これにより、数千のリストから数個の標的薬物を絞り込み、本当に良いものを作れるようになります。そして、開発にかかる時間も大幅に短縮されました。こういったワクワクすることがもたらされたのも、生成ＡＩのおかげでした。

■アメリカ国内にAIが与えた衝撃

――2023年のアメリカを見てみると、ハリウッドやUAW（全米自動車労働組合）などでストライキが起きています。全米脚本家組合が、大手製作会社に対してストライキを行い、抗議しました。アーティストや俳優たちも、AIの利用に反対しています。こういったストライキは60年ぶりとも言われ、歴史に残る出来事となっています。こうした動きは、生成AIの雇用への影響の第一波と言えるのでしょうか。

ハリウッドでは、生成AIが盛んに用いられています。

ディープラーニングの手法で作られたトム・クルーズのそっくりさんの動画が流され、AIに対する懸念は、数年前からささやかれていました。技術が急速に改善する中で、人間に配慮した新しいルールも作られ始めており、こうしたルールを求める動きは増えるでしょう。

また事情は少し違いますが、自動車産業にも、大きな動きが出ています。従来の内燃エンジン自動車に比べ、電気自動車は部品がはるかに少ない。つまり、人手があまりかからないのです。そうなると、ルールについても変更が必要になってきます。つまり、旧来のマルクス主義がもたらしたような労働者像と資本家像には、新たな側面が付け加わります。
生成ＡＩを所有する経営者や企業は、労働市場でより大きな力を持つことになります。経営者と労働者の駆け引きはこれまでも長年続いてきました。ただ新しいテクノロジーが、労働者と経営者や株主の間の取引条件を変える要因になることは確かでしょう。
ハリウッドですでに始まっているのは、これなのです。ＡＩという新しいテクノロジーはことほど左様に物事を変えるものです。まさにその最前線とも言える業界では、もう動きが出始めているのです。

――アメリカは、世界のどの国よりも「格差」が大きな問題になっています。この新しいテクノロジーは、アメリカ国内の格差問題に影響を及ぼすのでしょうか。

たしかに、格差に関しては、話題になっています。マサチューセッツ工科大学の労働経済学者デイヴィッド・オーター氏も「ＡＩが未熟練労働者の技術レベルを上げる」という研究に注目しています。理論的には、ＡＩの普及によって、格差は多少縮まるのかもしれません。

しかし、テクノロジーがどのように使われるかということは、経営者や社会が決めることです。最近の歴史を見ると、労働者にとってそれほど勇気づけられる状況ではありません。私が危惧しているのは、技術レベルの高い人と低い人の二極化が進み、中間層が空洞化する可能性です。つまり、中間賃金の仕事を行って生活を営む中間層の人々をどうするか、という問題です。

この中間層に当てはまるのは、アメリカの労働者のおよそ3分の2にあたる、4年制の大学を出ていない方たちです。こうした方々に適した仕事をどのように創造するのかは、これから大きな課題となるでしょう。かつては、製造業が中間層の受け皿になっていました。しかし、今はそうではない。

だったら、その格差はどのように是正していけばよいでしょうか。デイヴィッド・オーター氏は「新しいテクノロジーが是正の手段になり得る」としていますが、歴史の教訓から言うと、私は少し懐疑的に思っています。

■AI時代に必要になってくる教育

――そこで重要になってくるのが「教育」であると私は思いました。来るべきAIの世界において、子どもたちは何を学ぶべきだと考えますか。これからはどんなスキルが必要になってくるのでしょうか。

一般的に言えるのは、通常のカリキュラムに加えて、高度な分析力や問題解決能力を養っていく必要があるということです。

それだけではなく、コンピュータ画面の外側にも目を向ける必要があるでしょう。人との付き合い方を学び、共感力を高めるのも非常に大事です。これは機械にはできないことです。だから、子どもたちには、外に出て、友達と思いっきり遊んでほしいです。

形式化された知識を使いこなすための「ハードスキル」にばかりに目がいってしまうと、目まぐるしく変化する状況に柔軟に対処するための「ソフトスキル」がおろそかになりがちです。

たしかに、スキルアッププログラムで好成績をおさめるのは、技術系の人たちがほとんどです。それは、仕事で役立つ、目に見えるスキルを持っているから。

でも、子どもや若者の精神面を家庭や地域社会で支える「ラップアラウンド・サポート」や、子育て支援、送迎、住宅供給などの分野で必要とされるのは、コミュニケーション能力であり、ソフトスキルなのです。

対人関係を円滑に進められる幅広い能力は、社会にとって不可欠なものです。人と人が画面越しであっても、言葉によって意図を伝え合うことの大切さに、再度気づくべきかもしれません。

■ＡＩが抱える最大のリスクはいったい何か？

――ＡＩ技術が社会や人間にどう影響するか見極めるには時間がかかると言いますが、では、現時点での最大のリスクはいったい何でしょうか。

それは「テクノロジーが社会の先を行ってしまうこと」です。今、私たちが行っているのは、人類に対する制御不能な実験です。だから、われわれ人間が、いろいろな場面で機械の指示に従おうとしている。

欧州では、リスクに基づく規制管理レベルを定めるなど、ＡＩに対する幅広いアプローチを行っています。「雇用や融資、刑事司法といったリスクの高い分野においても、ＡＩに仕事を任せてよいものか？」「ＡＩにローンを組ませることはできるのか？」「ＡＩを刑務所に送り込むことができるのか？」。今挙げたようなハイリスクの分野では、規制をかけるべきでしょう。また、ＡＩシステムが出した結論があなたに不利だった場合には、「どんな方法でその結論に至ったのか」を知る必要もあるでしょう。

そして、こうした大まかなガイドラインを示すことはもちろん難しいのですが、それを実施するのはさらに難しいのです。しかし、それでも方法はあります。

たとえばアメリカには「雇用法」や「公正融資法」といった法律もありますし、雇用機会均等委員会という組織もあります。ＡＩテクノロジーが創り出す新たな状況に合わせて改善する必要はあります。しかし、制度的構造は整っています。こうした問題は必ずしも新しいものではありません。医療も金融もすでに厳しく規制されています。

生成ＡＩが質的に違うのかどうか。OpenAIのサム・アルトマンＣＥＯやテスラのイー

イーロン・マスク氏

ロン・マスクCEOは、「本当に恐ろしい」と言っています。「人類存続の危機になり得る」と。いささか大げさですよね。

ただ一つ言えるのは、人々の政府に対する関心を高めたということです。何もせず放置するのは危険です。そのリスクへの対処方法を政府が示せるのかどうかに関心が向かっています。

この先どうなってゆくのかわかりません。それでも、インターネットを見れば、少し想像がつきます。良いこともたくさんありましたし、革新的なこともありました。その一方で、悪いこともたくさんありましたよね。偽情報やいじめ、民主主義を脅かすことなど。つまり、良いことも悪いこともたくさんあります。だから、いずれ何かしらの規制がかかるかもしれません。

現時点では、生成ＡＩの波に乗っている人々がやろうとしているのは、「他の人より少し先を行くこと」でしかありません。つまり、まだ私たちは、暴走列車に乗っているというわけではないのです。

■進化し続ける技術に「規制」をかけることはできるか？

——アメリカ政府や議会のこれまでを見ていると、「ハイテク産業に新たな規制をかける」という点で、良い実績をあげられていません。一方で、米中間の情勢を見る限り、アメリカは中国と競争をしなければなりません。まさに「ハイテク覇権競争」です。こうした情勢の中で、アクセルとブレーキを同時に踏むようなハイテク規制はうまくいくのでしょうか。

まさにあなたがおっしゃる通りです。たしかに、アメリカ国内でも意見が分かれています。「規制をかけて進歩のスピードを遅らせるべきかどうか」。そして「中国との競争を続けるべきかどうか」「競争はどうやって続ければよいのか」と。

政府も社会も「利害のバランス」を取ろうとします。ただし、立法的なアプローチはとても難しいです。

もしかすると、国内の半導体産業を支援するCHIPS法のような方法であれば、可能性はあるかもしれません。議会は完全に行き詰まり、何をやってもダメな状況ですが、CHIPS法は超党派で合意して成立しました。

その背景に中国の脅威があったことは確かです。しかし、われわれは中国のようにはやらないでしょう。なぜなら、監視国家などは望んでいないからです。民間企業は、政府による監視など望んでいないのです。しかしその一方で、「競争」は望んでいます。

「ガードレールつきのイノベーション」が望ましいですが、どうなるかはまだこれからです。

――本書にも鼎談が収録されているSignal Foundationの会長で元グーグル社員であるメレディス・ウィテカーさんは、データと計算能力が大手IT企業に集中することに懸念を示しています。新しい生成AIテクノロジーや、私たちが進む方向について上がっている懸念の声に対して、あなたはどうお考えですか。

AIの台頭についての懸念は、以前からありました。AIには、データの収集と蓄積が必要不可欠であり、膨大な計算能力が求められるからです。ウィテカーさんが危機感を抱いているような「研究とイノベーションをどこまで民営化するのか」という点に関しても、学識経験者は以前から懸念を表明していました。こうした問題への提案も出ています。たとえば、アレン人工知能研究所は最近、巨大なデータベースを公開しました。

大規模言語モデルを構築しているIT大手に対しては、独占禁止法違反やデータ集中の懸念がこの数年ずっと存在してきました。「生成AIの誕生によって、データや権力の集中はさらに進むのだろうか？」などの疑問が起きるのは当然のことです。

中には、対抗策を取ろうとする動きも出ています。分散型のデータベース技術であるブロックチェーンや暗号資産、そしてオープンソースAIの構築です。これがどこまで発展するかについては、まだよくわかっていません。

ただ、集中ではなく分散へと向かう流れもあります。先ほど挙げたアレン人工知能研究所などもその流れの中にいます。果たして彼らが行うことは、不可能なのでしょうか。見極めるには時間がかかるでしょう。

とはいえ歴史を振り返ると、こうしたことはオープンソースの分野で、以前からありました。少し専門的な技術の話になってしまいますが、パソコンやサーバーには「Linux」

というオープンソースのオペレーティングシステム（ＯＳ）が入っています。このＯＳが台頭したことで、マイクロソフトのウィンドウズは市場力を奪われました。

そこでマイクロソフトが打ち出したのは、「クラウドへの移行」という別の方法です。これにより、マイクロソフトは売上を伸ばしたのです。つまり、ここで行われたのは、規制を求めるということではなく、「技術力による対抗」でした。

また、データの集中などの問題は、当然ながら、今後も取り組んでいくべきものです。たとえば、米グーグルも「反トラスト法」（独占禁止法）違反で提訴されました。

では、「生成ＡＩの時代には、もっと大きな問題が起きるのか？」という疑問もあるかもしれません。マイクロソフトやグーグルといった大手ＩＴ企業が争っているので心配はいらない、と言ったところで、あまり慰めにはならないでしょう。

正確に言うと、現状は鉄道時代と似ています。つまり、独占と言うより「寡占」なのです。大手ＩＴ企業数社はお互いに対抗する力を持っている。そこにはいくらかの真実もありますが、この分野における市場集中を懸念する人たちにとって、こんなことを言ったところで慰めにはならないでしょう。

■われわれ人類とAIの共存の道

――先ほど触れたグーグル訴訟について、あなたは精力的に取材しています。この訴訟の重要性をどう見ていますか。

グーグルの独禁法違反に関する裁判において、どんな証拠が提出され、どう展開していくかは重要な意味を持つことになるでしょう。

簡単に説明をしておくと、米グーグルがスマホ端末メーカーと、初期状態のスマホにグーグルの検索アプリを搭載したうえで、画面の目立つ位置に配置するように契約を結んでいたことが、競合他社の排除につながる恐れがあるという疑いが挙がったのです。

過去に起こったマイクロソフト事件（1998～2004年）もそうでした。その際に、マイクロソフトが業界のパートナーをいじめ抜いたうえで、買収し、新たなライバルの市場参入を正面からではなく脇から阻止できたのは、契約上の制約があったからです。

文脈は違いますが、グーグルの場合も同じような特徴があります。グーグルの回答は、

「昔に比べれば、今はスマホの乗り換えが非常に楽になった」というものです。

一方、司法省は「グーグルがアンドロイド・モバイルエコシステムの成功を確実にするために、サムスンや他のメーカー、それにアップルを巨額の資金で買収した」と反論しているのです。その結果、アンドロイド・モバイルエコシステムは、検索エンジンの目玉となり、データ収集が円滑に行えるのでユーザーを惹きつけ、広告収入が増えるわけです。

また、この一つ前の質問でご指摘のデータについては、データは「検索エンジンの酸素」のようなものなのです。だから、グーグルの行為は酸素の供給を遮断するようなものだ、というのが政府の主張です。ちなみに、このフレーズは、マイクロソフトの裁判でも使われていました。

こういう支配的な企業に異議を申し立てるのは、政府がやるべきことです。オバマ政権下でもトランプ政権下でも、独禁法規制当局がやるべきことをやっていないという空気がありました。今、規制当局にいる人たちの中には、監督することが仕事だと思われていた時代の生き残りもいるにはいます。


——それでは最後に、「AＩとどう向き合っていくべきか」についてメッセージをお願いします。

頑なに知ろうとしないことは、良い選択とは言えないでしょう。無暗に怖がるのではなく、慎重であること。大切なのはこれです。

私たちはこれまでも似たような経験をしてきたのだから、人類に広い居場所を提供してくれるＡＩとの共存の道を見つけられるはずです。

聞き手／朝日新聞サンフランシスコ支局長兼編集委員　五十嵐大介

進化し続けるＡＩは、人類の「福音」か「黙示録」か

飛躍的な発展を遂げている、人工知能。とくに生成ＡＩの進歩は、大きな話題となっている。人類は、この「テクノロジー」といかに向き合うべきか。ＡＩと第一線で向き合う有識者とともに考える。

メレディス・ウィテカー

Meredith Whittaker

ＡＩ（人工知能）研究者、経営者。米グーグルの研究部門であるOpen Research groupの責任者を務め、その後退社。ＡＩの社会への影響を研究する米ニューヨーク大学のAI Now Instituteも共同で設立した。２０２２年、メッセンジャーアプリ「Signal」を開発する非営利団体Signal Foundationの会長に就任。

Kazuto Ataka

安宅和人

フューチャリスト。1968年富山県生まれ。イェール大学博士課程修了。PhD.。慶應義塾大学SFC環境情報学部教授、Zホールディングスシニアストラテジスト、データサイエンティスト協会理事。主な著書に『イシューからはじめよ』（英治出版）、『シン・ニホン』（NewsPicksパブリッシング）など。

Macoto Tezka

手塚 眞

ヴィジュアリスト。1961年東京都生まれ。主な映画監督作品に『星くず兄弟の伝説』『白痴』『ブラック・キス』『ばるぼら』など。漫画の神様・手塚治虫の長男であり、手塚プロダクション取締役も務める。AIとヒトで『ブラック・ジャック』の新作を作り上げる「TEZUKA2023」に参加し、2023年にはプロジェクトの成果を報告した。

■ＡＩとは「非民主主義的な技術」である

――テレビやラジオ、多くのメディアで話題になっているＡＩ。現在、目覚ましい進化を遂げています。小説を書いたり、絵を描いたり、あるいは写真や動画も作り出したり。その優れたデータ処理能力によって、「人間から仕事を奪うのではないか」というような不安もいろいろ報じられております。果たしてＡＩは、人間を脅かすものなのでしょうか。

ここではとくに、生成ＡＩに焦点を合わせていきます。生成ＡＩとは入力したデータに基づいて、新しいデータを自動で出力するものです。質問に対して即座に返答をしてくれたり、ときには良い話し相手になったりもします。

こうしたＡＩの進化について、アメリカのＡＩ開発研究者、メレディス・ウィテカーさんにお話を伺います。まずは、ＡＩあるいは生成ＡＩについての定義をお教えください。

ウィテカー：ＡＩの話に入る前に、まずは人間の性質について考えてみましょう。

ここ数年の生成ＡＩの進歩を見て、私が思い返したのは、とある歴史の一ページでした。

時代は、1960年代にさかのぼります。そのとき、MIT（マサチューセッツ工科大学）のジョセフ・ワイゼンバウムというAI科学者が、非常に初歩的なレベルのChatGPTのようなものを作り出しました。これは、初期のチャットボットで、「イライザ」と名付けられました。

イライザは子どものおもちゃレベルの単純なもので、知能を感じさせるようなものではありませんでした。これを作った後、ワイゼンバウムは、大変動揺したと言い伝えられています。なぜなら、彼は人間と機械のコミュニケーションがとても浅薄であることを示すためにイライザを作ったにもかかわらず、人々がその初歩的なチャットボットと本物の人と会話しているかのようにやりとりし始めたからです。

すると、人々は、イライザに秘密を打ち明けるようになりました。会話に熱中した人々の中には、自分の部屋に閉じこもって、「イライザと話をしているから、邪魔しないでくれ」と言い出すような人も出てきたのです。

この出来事をきっかけに、ワイゼンバウムは『コンピュータ・パワー 人工知能と人間の理性』という有名な本を書きました。人類はいとも簡単に、機械や非生物的なものに人間的機能を見出してしまうことを説いたのです。このように、私たちの創造性や知性は、自分の周りにあるすべてのものに、人間性を見出す傾向があるのです。

空を見上げたときや森の中を歩くときに、雲や葉っぱが人間の顔に見えることがあるのは、そのためです。従って、私たちが機械に人間性を見出してしまうのは、私たち人間の側の特性であって、機械の側にそのような特徴があるからではないのです。

それを踏まえた上でご質問にお答えしようと思います。

そもそも「AI」というのは、技術的な用語というよりはマーケティングの用語です。このAIという言葉は、1956年にコンピュータ科学者のジョン・マッカーシーという人によって発明されました。この言葉が生まれた理由はいくつかありますが、そのうちの一つは、当時その分野の研究に資金提供していたロックフェラー財団から、補助金が得やすくなるという思惑があったからと言われています。

そこから70年近い歴史の中で、様々な異なる技術的な手法がAIと呼ばれてきました。ですから、AIは確立した技術分野ではなく、マーケティングのためにいろいろなことに便利に使われてきた言葉だと言えます。

そこで浮かんでくる疑問は、なぜAIという言葉が突然、世の中のあらゆる場面で耳目を集めるようになったのかということです。

この背景には、アメリカのテクノロジー業界の成長が強く関連しています。その中でも着目すべきは、彼らの「監視」のビジネスモデルです。アメリカのテック企業は、利用者にサービスを提供する中で、集められるだけのデータを集め、その大量のデータを処理、分析して、広告を打ったり別のビジネスに利用したりしています。近年のＡＩをめぐる進展の背景にあるのは、機械学習の新たな科学的技術などではなく、データとコンピュータの計算資源が少数のアメリカのテック企業に集中している現状であり、彼らや中国によるＡＩ市場の支配です。つまり、最近の現象が意味するのは、ＡＩの看板をかぶった米中のテック企業の支配力なのです。

私は20年近くテック業界で働いてきました。２０１２年から２０１３年にかけては、グーグルでリサーチグループを率いていました。現実世界を反映したものとして信頼して利用できるデータを作る研究に取り組む中で、データの完全性や堅牢性に注意を払い、データの厳密性を保つことを非常に意識していました。

２０１０年代初頭、テック業界の至る所でＡＩが突然出現するのを目の当たりにし、私は懸念を抱くようになりました。

そのときに私が認識したのは、多くの場合、データは不完全で重大なバイアスを含み、あるいは現実の一部しか反映していないということです。テック業界はそのようなデータを使ってシステムを構築し、「これこそ知能である」と主張して超人的な偉業が可能であるかのように売り込んでいた。それが企業に利益をもたらす一方で、そのようなシステムは簡単に社会的利益を損なうために使われてしまう。こうした懸念が私の研究を駆り立てる原動力となってきました。

――とはいえ、ウィテカーさんはご自身ではAIを使ったりとか、日常的に活用されたりはしないんですか。

ウィテカー：それは素晴らしい質問であると同時に、非常に難しい質問でもあります。というのも、私たちのような一般人は、実はＡＩのユーザーではないからです。ＡＩのようなシステムは政府や企業などの組織によって使用されるものであり、一般人が使うことはほとんどありません。

なぜなら、ＡＩとは私たちを評価するためのツールだからです。

私たちが銀行でお金を借りたいとき、データを分析して融資の可否を判断するためにAIが使われます。街を歩けば、通りに設置された監視カメラの顔認識システムにも使われています。また、私たちが国をまたいで移動するとき、AIは国境管理で使用されています。政府によって法執行のために使われたり、雇用主によって生産性を監視し、労働者を評価するために使われたりしています。

つまり、これらは誰もが同じ条件下で利用できるような民主的なツールではないのです。簡単に言えば、AIは、権力者がその権力を簡単に行使できるようにするツールであり、概して、権力者の支配下にある人たちを監視し、評価し、管理するために使われるのです。

したがって、私たちは基本的には、AIが私たちの生活のどこで使われているのか知らないし、私たちが情報や機会にアクセスできる環境がAIによってどのように形成されているのかも知らされていません。

■AIの問題は、技術を使う人間の側にある

――今おっしゃったように「民主的に使われていない」というのは、一番のポイントですよね。

ある種の「権力による監視」であり、「膨大な投資」に牛耳られているようにも感じます。この部分を変えていくことはできるのでしょうか。

ウィテカー：変えていくことは難しいと思います。

ただ、現状を変えられるかとかいうような、権力に対する問いは、技術的な問題ではありません。それは社会的、政治的な問題なのです。この構造的、社会的変化の問いに答えるためには、私たちはテクノロジーの領域の外へ出て、より広い政治状況に目を向けなければいけません。

たとえば、大手製作会社に対してストライキを行った全米脚本家組合は、人々が変化を起こせることを示す良い例だと思います。彼らは、自分たちの専門性や作品を守るために立ち上がったのであり、AIに対する技術的な解決策を提案したわけではありません。むしろ彼らは、創作過程や作品の芸術的な完全性を損なう可能性がある不公正な技術の利用を拒否し、禁じることを求めるという、より伝統的な解決策を提案していました。

ですから、こうした現状の問題への答えはテクノロジーの専門領域にあるのではない、ということを強調しておきたいです。

――他方で、何か特定の意図をシステムに反映させたら、公正なプログラムにならないように思います。そんなものに頼っていくことは危険ではないでしょうか。

ウィテカー：非常に鋭い質問です。まず認識すべきは、このような大規模なシステムをゼロから作り上げるだけの資産と能力を持つのは、アメリカと中国の巨大テック企業のみだということです。

そして、これらの企業の意図やインセンティブが、最終的にどのようなシステムが作られ、そのシステムが何を達成するために使われるかを左右することになります。現代の民間企業のインセンティブは、もちろん「利益」と「成長」です。それらは、必ずしも社会的利益と一致しているわけではありません。

問題はテクノロジーそのものにあるのではなく、テクノロジーが生み出され活用される構造の中にある「権力の不均衡」に存在します。

――今のウィテカーさんの話から、大事なのは、人間がどのようにＡＩを活用するのか、そし

て、どう開発し、どう運用するのかにあると思います。さらに発展して、どのような倫理的な基準を設けていくのか、あるいは、私たちが民主的に活用できるのか、このあたりが問われているのかな、と私は感じました。

AIをめぐる議論は、大きく二つに分かれています。一つは「こんな素晴らしい技術を使わない手はない。早く飼いならそう」と言う人たち。そしてもう一つは「何だか不安だな。人間のやることを奪ってしまうのではないかな」と言う人々。

この大きく二分されているAIへの向き合い方に関して、ここからは、安宅和人さんと手塚眞さんにも加わっていただきましょう。まずは、AIはどこにいて、どこへ向かおうとしているのかについて考えてみましょう。

安宅：まず、世の中にはAIに関する誤解が多くあることを、ウィテカーさんの話というよりも質問を聞いて、私は感じました。最近はその段階を若干超えつつありますが、AIとはある種の自動化技術です。多くの方は「AIが生命体と同様の意思を持つ存在なのではないか」と混乱しているように感じています。

手塚：ウィテカーさんには、AIのことを非常に端的に説明していただいたと思っています。その中でもとくに、「AIという技術そのものが悪いわけではない」という点は、私も同じように考えております。

ウィテカーさんがおっしゃるように、社会制度や政治権力こそ、問題をはらんでいる。「AIが危険である」「AIが脅威である」という先入観はあまり良くない、と私も感じています。それはむしろ、危険な考え方です。

AIに関しては、まずはニュートラルかつフラットに接していくことが必要ではないでしょうか。

ウィテカー：技術に対して同じような見方をされていることに勇気づけられます。まさにおっしゃったように、問題となるのは、技術の背後にある「権力」です。

具体的には、AIをどのように使うのか、誰のために使うのかを決めることができる人たちの権力です。その権力に、私たちは常に注意を払っていなければいけません。テクノロジーの輝かしいイメージを宣伝して背後にある権力関係を隠そうとするような、迷信やマーケティングに惑わされてはいけません。

■ＡＩができることは、こんなにも増えた

――それでは、まずは安宅さんから、お話を伺っていきたいと思っております。安宅さんはどのようにＡＩを使っていらっしゃいますか。

安宅：私は、様々なＡＩを日常的に使っています。もうほとんど酷使している状況です。生活の中でも酷使していますし、もちろん研究でも仕事でも酷使しています。

たとえば、ある学生が書いたぐしゃぐしゃなテキストをシャキッとさせてくれたり、ウニャウニャウニャとした外部の意見に対しても、ＬＬＭ（大規模言語モデル）ならパパパパッと返したりしてくれる。また、非常にオイリーで、返答が難しいメールに関しても、固有名詞を伏せつつも、考えてほしいと頼むと、あっという間にきれいに返す案を作ってくれる。機械には感情がないので、返答する内容を的確に考えてくれます。日本語の英語化ももはやお茶の子さいさいですね。講演資料などで欲しい絵がなければ、拡散モデルベースのＡＩがすぐに描いてくれるという感じで、ＡＩがなかったら働けないぐらい、私は使

っています。

──AI関連の今の変化をどうみていらっしゃいますか。

今は、本当にたくさんのことが起きていて、何が何だかという状況です。ただ、生成AIのずっと以前から、深層学習がもたらした変化はすごいです。

たとえば、「顔の写真を見ただけで、ある種のレアな遺伝病がわかる」とか「読心術も可能になる」とか「歩き方だけで認知症かわかる」などの変化が、生成AIが話題になる何年も前からどんどん起きてきています。

「白黒の絵や写真に、色をつける」なんてことも軽くやってのけますし、「ある人が次に何をしようとしているか」をざっくり予測するというのは、今もデジタルマーケティングの世界では普通に行われています。深層学習により「機械がいつ壊れるか」もおおよそわかるとする研究もあり、「どのスタートアップが当たるか」も概ね予測できることがわかると発表されて、すでに数年です。

もっと驚いたことは、「DeepMind」が発表した「DNAの配列データを見ただけで、それが生み出すのがどのようなタンパク質の構造かが概ねわかる」という研究です。

今世紀に入るぐらいまでは、場合によっては重大な役割をなす膜タンパク質の構造を決定するだけで、ノーベル賞を受賞できたわけです。しかしこの研究によって、タンパク質の構造は、おおよそわかるようになりました。この研究開発だけで、ノーベル賞数個分ぐらいのパワーがある、と私は考えています。

またみなさんご存知だと思いますけれども、同じくDeepMindが関わっていますが、「AlphaGo」に天才棋士たちがことごとく負ける、というようなことも起きました。AIは全然われわれとは違うレベルで、見えている範囲が広がっています。そして今、これら深層学習に支えられたニューラルネットワークベースのAIは、もうわれわれの社会の基本モジュールとして入ってきつつあります。

さらにそれに加えて、現在では「生成AI」が出てきました。生成AIに関しては、「ChatGPT」登場以前からも、たとえば「ダリ風の絵を作る」とか「気分に合わせて音楽を作る」みたいなことがどんどん起こっていました。また、「人が何かをしている画像、音声、映像を作る」のも簡単にできるようになっています。オバマ大統領が言ってもいないことを、オバマ大統領の顔や声を用いてしゃべらせることもできますし、まったく違う人の顔や声や表情を、別の人に移し変えることもすでに技術的に可能です。

それどころか、世界の著名人は「デジタルダブル」とか「デジタルツイン」というようなもう一人の自分を使って、広告に出る時代になってきています。

これらを悪用した、「写真を差し替える」といった非常に悪質な情報操作も起きてきています。さらに、悪質な情報になればなるほど、拡散速度が劇的に高まることもわかってきています。こういった面を示すように、アメリカや中国では、もはや「心の戦争」(Mind War) とか、「制脳権」といった言葉も出てきています。

このようにして、フィジカルレイヤーからサイバーレイヤーまで来ていた国家間の戦いのフィールドは、今では「心のレイヤー」にまで到達しています。これは一面では、ものすごく面白い時代になってきていると言えますが、もちろん「恐ろしい時代」になってきているとも言えます。

ただこれは先ほどの議論通り、人間の使い方の問題ですね。「AIが勝手に思ってやっているんじゃない」というのがポイントです。

また「言葉を入力しただけで画像を作れる」という拡散モデルをみなさんの中には体験

された方もいると思います。これは、生成ＡＩの最初の大きな波だったんですが、現在起こっているのは、「言葉のハンドリング」の波です。

■現在も進化し続ける「言葉のハンドリング」

安宅：「言葉のハンドリング」という問題についても、２０１６年にグーグルが「グーグル翻訳」を始めて以降、言語の組み合わせ次第で、人間のプロとさして変わらないレベルの翻訳が可能になりました。これは、多次元ベクトル空間的に意味が捉えられ、言語処理されているからです。方法はともあれ、数十の言語でコレが可能ということは通常の人間のレベルは軽々と超えたわけです。また「動画のキャプショニングも自動化できる」という研究が発表されたのは２０１７年です。

このような状況において「ChatGPT」のベースになるＬＬＭが登場しました。ＬＬＭは、アイデアがまだ湧いていないような商品名も考えてくれるし、タスクリストも考えてくれるし、論文も書いたり、コーディングも頼めたり、アイデア出しもできたりします。これらの技術によって、どんどんコンテンツが生まれてきています。

まず前提として、「学習データ」と「コンピューティングパワー」と「アルゴリズム」というモデルの三つの掛け合わせでAIはできています。ここで一つ、僕がかなり驚かされたことは、パラメータ数が偶然とはいえ、アボガドロ数（1モル中に含まれる分子の数）に近い数になった途端に急激に性能が上がるという事象が見出されていることです。

これが、この数年、目の前で起きているわけです。ということで、まだまださらにハイパーなマシンが生まれる瞬間をわれわれは生きていると思います。

あと、僕らの知的生産は、長らくずっと紙とインクによるものでした。もちろん、手塚治虫先生の時代も紙でしたし、僕が子どもの頃も紙で一生懸命書き取りとかやっていました。しかし、それがコンピュータ画面になって、さらにGUI（Graphical User Interface）になってインターネットエコノミーが生まれ、それでタッチインターフェース（Multi-touch user interface）が生まれて、スマートフォンエコノミーが生まれました。

そしてさらにもう一発、今回出てきたのが、自然言語で動くLLMです。自然言語というのは、計算機とやりとりするための言語じゃない、普通にわれわれが使う言語という意味です。高性能なLLMの到来によりコンピュータと人間が、人間らしさの根源と言える自然言語で直接やり取りできるような時代が来ています。われわれは、とても大きい瞬間を生きていると思います。

さらに、新しいプラグインがつながって、LLMと数量的な解析能力も融合しつつあり、私たちは人類が一発解き放たれる瞬間を生きている。そんなふうに僕は思っています。データサイエンスや生成AIはこれまで、ハードウェアとかクラウドとかアルゴリズム研究者だけの世界でした。しかし、現在では、一般の人の世界にも一気に降りてきています。

とはいえ、ここは本当にウィテカー先生の話にあった通り、メガプレーヤーの戦いです。なので、多くの会社は使う側です。しかし、ここが勝負の場であり、毎日かなりの数の小アプリケーションが生まれています。

では、一般人にとって、生成AIが持つ意味合いをもうちょっとだけ考えてみましょう。実際に生成AIで何か調べると、嘘八百のこともときたま出てきます。その正誤を調べるためには、相当ヘビーな教養が必要になります。その意味では、教養の時代に突入した可能性は高いと言えます。それと、現段階だけかもしれませんが、エンジニアリング的な知恵が相当ないと使い倒せないところも実際にはあります。

もう一つ話しておくと、2023年7月に、メタが「Llama2」という巨大なモデルを発表しました。「7億人ユーザー以下の規模の企業だったら、無料で好きに使える」「一般の人でも使える」という時代に突入しました。これによって、開発者たちは浮き立っています。こんなふうに、今の僕らは、ものすごい瞬間を生きています。

リスク視点でもう一つ加えますと、AIは世界をデータにして、そのデータを学習モデルにしていきます。そのデータは社会そのものなので、実際データの中には、社会的に許容されないような情報もいっぱい含まれています。また、本当に正しいかどうかわからない情報も含まれています。けれども、そのまま学習されているわけです。ですから、この「ゆがみがそのまま写し取られる問題」が、結構、深刻になってきています。

また、シンギュラリティの議論を、カーツワイル氏がかつてグーグルにいらした頃にお話しされています。これは「人間が、技術の力で生物学的な限界を超越するという瞬間」という話でした。これは、現在のコンピュータの世界を見ると、ある意味では正しい、と私は思っています。まさにこれは、今、起きていることのように見えます。

しかし、カーツワイル氏がシンギュラリティの前提としていた「人間と機械をつなげる」とか「脳を物理的につなぐ」っていう段階には、今のところはまだほど遠いところにいます。

だから、カーツワイル氏が言っていたようなシンギュラリティが到来しているかと言うと「ちょっと違いますよ」ということは、最後に申し添えたいと思います。

■AIの進歩の裏にある「権力集中」という問題

——「真の教養の時代」とか「スキルの使いこなしの格差」とか「メガプレーヤーの存在」。さらには「シンギュラリティ」「AIには社会の歪みが映し出される」というパワーワードをたくさん教えてもらいました。

この中ですごく気になったのが、まさに今起きている現象でもありますが、「あるポイントで劇的に性能が上がる」ということです。こうした「ポイント」は、開発者の間でもすでに予想されていたことなのでしょうか。

ウィテカー：ＡＩシステムに投入されるデータ量や、これらのシステムの処理・学習・推論に必要な計算能力を持つＧＰＵ（画像処理装置）など、ＡＩは規模の面で確かに進歩しています。また、安宅さんがお話しされていたように、生成ＡＩは一般の人にも使える技術になりました。こうしたＡＩの進歩の基礎となっているのは、アメリカの巨大テック企業であり、彼らの持つインフラです。ＧＰＵはマイクロソフトやグーグル、アマゾンを通じて提供されているからです。

現在、ほとんどのＡＩスタートアップは、これらの企業のクラウドサービスなどによってインフラを借りてサービス開発をしています。彼らのうちの多くは、インフラだけでなくＡＩ技術もアメリカの巨大テック企業のものを使っています。したがって、ＡＩスタートアップと名乗る企業が、実のところはマイクロソフトが提供するＡＩサービスを使っているに過ぎないということがあります。

つまり、繰り返しにはなりますが、私たちはこの業界における資本力や技術力などの、あらゆる力の集中を理解しなければなりません。また、私たちがＡＩの成果として耳にすること（歩幅に基づいて人を追跡する能力や、心拍に基づいて人を特定する能力など）も、しばしば新たな技術というよりもマーケティングに近いのです。ＡＩスタートアップの多くは、非常に限られた状況下における成果を強調したり、実際には巨大テック企業の技術を再パッケージ化したりして、それを「超人的な能力を持つ知能」であるかのように紹介しているのです。

■「漫画の神様」を現代によみがえらせることができるか？

——では、ここで話したようなことを別の側面からも見ていきましょう。ここでお話を伺いたいのは、手塚眞さんです。手塚さんのお父様は「日本の現代漫画の父」であり、「漫画の神様」という異名も持つ手塚治虫さんです。

手塚治虫さんは、700タイトル、計15万ページの漫画を描き、アニメ作品を含め、国内外に大きな影響を与えました。代表作の一つが、『ブラック・ジャック』です。医師免許を持つ手塚治虫が、主人公のブラック・ジャックに理想の医師像を託して、生命の尊さ、そして人間の尊厳を描きました。1989年に60歳で手塚治虫さんが亡くなってから、この『ブラック・ジャック』の新作を、AIとともに共同制作するプロジェクトが進められています。「TEZUKA2023」と名付けられたそのプロジェクトの総合ディレクターを務めていらっしゃいますのが、手塚眞さん。このAIとの共同制作はどのように進めたのですか。

手塚：私はＡＩの研究家ではありませんので、今日はアカデミックな話はできません。ただ私には、２０００年代前半の頃から、多数のＡＩ研究者といろいろ意見交換をする機会がありました。そのときに議題に上がったのが、「何とか、日本の漫画をＡＩで作れないだろうか」ということでした。

実は漫画は、世界中にあります。けれども、日本の漫画が、質的にも量的にも一番優れているんじゃないかな、と私は思っております。そして、日本の現代文化を代表するものだとも思っています。

ですから、この漫画文化を世界に紹介し、未来に残していくことを考えた際に、ＡＩが関係してくるとさらなる発展も見えるのではないか、と考えるようになりました。そのような経緯もあり、ＡＩ研究者の方々と一緒に漫画の研究をし始めるようになりました。

ただ、実際には「ＡＩが漫画を学習する」ということは、非常に難しい。漫画というのは単純に見えますが、非常に抽象性が高く、情報量も多いからです。なので、簡単に学習することはできない。

そこで、２０２０年頃にこのプロジェクトが立ち上がりまして、そのとき最初に私たちが行ったことは、「漫画をいくつかの情報に分解してデータ化する」ということでした。

まずは、漫画の中からストーリーを抜き出しました。これは人間の手が必要になる作業です。これによって、たくさんの漫画からストーリーを抽出しました。

このときに使われたのが、手塚治虫の漫画です。手塚治虫は、作品数だけで700タイトルを超えると言われております。このデータの多さが、AIの学習に非常に有利になります。そして、漫画の質自体も大変高い。手塚治虫の漫画はまさに「教科書」であり、現代の漫画の見本となっている部分があります。そういった意味でも、クオリティが非常に高いものをまず学習してもらおうとしました。

さらに言うと、私自身がこの手塚治虫の作品の著作権者です。ですから、著作権的にも問題がないということもありました。それでこの共同研究を行うことができました。

まずAIに考えてもらったのは、ストーリーの部分です。2020年頃は、AIが辻褄の合うストーリーを作り出すのは大変難しかった。これに関しても、私たちは「AIが提示したいくつかのキーワードを拾い出して、新たにストーリーを組む」ということを人間の手によって行いました。

■AIは「人間の顔」を認識することはできるのか？

手塚：またそれとは別に、手塚治虫のキャラクターの絵も学習させ、新たなキャラクターを作り出そうと試みました。そのときに、一つ面白いことがありました。

小説などを作るAIもあるように、ストーリーの形は何となくできるんですが、漫画のキャラクターは、AIが学習するうえで「これは人の顔である」とはなかなか見えないというのです。私たちはイラストを見れば、即座に「これは漫画のキャラクターだ」とわかるのですが、AIには「ただの白と黒の模様」に過ぎません。なので、この部分はなかなかうまくいきませんでした。

そこで行ったのが、人間の写実的な顔を学習したAIに対して、「転移学習」という形でさらに手塚治虫のキャラクターの顔を学習させるという方法です。その結果はずいぶん良いものでした。こういう手順を一つ一つ踏んでいった結果、AIは手塚治虫の描いたような漫画の顔をいくつも作り出すことができました。

次のページに写真を掲載した漫画の登場人物の顔は、AIが生成したものです。これは

「TEZUKA2020」プロジェクトによって生み出された『ぱいどん』（講談社）

手塚治虫が描いたものではありませんが、手塚治虫が描いたようなタッチで新しい主人公を生成することができました。そして、それを使って人間が漫画を作ったのです。

　急速にＡＩが進歩してきた２０２３年、さらにその先を目指して、『ブラック・ジャック』をＡＩで生成することに挑戦しました。これも基本的には、今までの作り方と同じです。まず物語をＡＩで生成します。そのために『ブラック・ジャック』の２００話を超える物語を文章化して学習させました。そして、それを学習させる際にも、物語構造というものを分析して学習させています。ただのひと続きの文章ではなく、「どういう構造によってこの物語が成立しているか」をかなり細かく検証したうえで、データ化してＡＩに与えました。そして、キャラクターの絵のほうには、いろいろな新しい画像生成ＡＩもあります。このあたりは格段に進歩いたしましたので、手塚治虫そっくりの絵を作り出すことは、以前ほど問題ではなくなっています。

ただ、もう一つの課題がありました。それは、ページ作りに関する問題です。手塚治虫の漫画が持っている大きな特徴は「ページをどうデザインして作るか」というところにもあります。一つ一つのコマの大きさ、形……。これらは、手塚治虫の発想に従って作られているので、すべてが違っています。一定の大きさのコマが並んでいるわけではありません。ですから、これは非常に学習が難しいのです。ストーリーに応じたページのデザインは、簡単に学習できるものではありません。そもそもデータ化が非常に難しいのです。

私の本業は映画監督です。なので、私の普段の仕事は「演出」なのです。この演出というのは、一番データ化しにくい部分です。言葉でいろいろとスタッフや俳優に指示を出しますが、その言葉を並べたところで一定の法則はなく、データにはなりません。それと同じで、手塚治虫も自分の漫画を演出しているのです。そして、この演出の部分は非常にデータ化しにくい。だから、そのままの手塚治虫の漫画を生成するということは、非常に難しいというのが現状です。

なので、私たちが目指しているのは、作り出された物語、そして作り出されたキャラクターを合成することで、新しい『ブラック・ジャック』を作ろうと試みています。

■たった数年間で、ＡＩはこれほどまでに改良された

――ここで気になったのですが、質の高いデータを数多く学んだＡＩが、手塚さんたちの予想もしなかったような切り口やアイデアを提案してきたことはありましたか。

手塚：私たちは、何度も数多くのストーリーを作らせました。そして、たくさんのテーマを入れて、そのテーマに沿ったストーリーを考えさせたんです。

当然ながら、主人公になるブラック・ジャックや登場人物のデータは、最初に学習させてあります。そして、その主人公が活躍する物語を何十も作り出しました。しかしその中には、こちらの想像を超えて、ディテールに踏み込んだものがありました。

あるものの具体的な名称、ある事件の具体的な内容、そういったものをＡＩが生成して、ドキッとさせられたことはあります。

――手塚さんは２０２０年にもＡＩを使って作品を作られていますが、２０２３年と比較して、

3年間の違いをどのように実感されましたか。

手塚：まず私が驚いたのは、ＡＩが作り出すものに整合性が取れてきているということです。一つの物語として、「どういう始まり方をして、どういう展開があって、最後にはこういうテーマで終わっている」というものが、ＡＩでも非常に明確に制作できるようになりました。

ですから、今では、ＡＩが作ってきたシナリオそのままでも、ほとんど漫画の形にはできるようになっています。ただ「漫画の形」にはできますが、そのクオリティが高いか低いかを判断するのはあくまで人間側です。私たちが現在取り組んでいるプロジェクトですと「手塚治虫と同等のクオリティのものは生成するのは難しい」という中間結果は出ています。

■「人間の素晴らしさ」に擬態した技術

ウィテカー：これはとても素晴らしい取り組みだと思いました。手塚さんが示してくれたことは、私たちがこれまで話していたことの実例のように思えます。

この作品の素晴らしさとは、手塚さん自身の素晴らしさであり、何年も作業を続けてきた協力者や、何より手塚さんのお父さんである手塚治虫さんの素晴らしさです。そういったものがすべてシステムに教え込まれ、その作業にも膨大な時間がかかっています。しかし、そうやって作られたシステムは人間の知性ではありません。おそらくChatGPTとかStable Diffusionを使っていると思われるこのシステムは、教え込まれた人間の優れた感性や知見に基づいて、次に続きそうな言葉や人間をまねした表現を統計的に予測しているに過ぎない。新たな創造ではないのです。

お話ししていただいた「TEZUKA2023」で生み出された成果は、手塚治虫さんや手塚眞さん、あるいは協力者の方の素晴らしい創造性の派生品でしかありません。そこに新たな知性はないということを忘れてはいけません。AIは知性の再構成に過ぎず、その源泉は常に人間にあります。だから、そのようなAIの成果を、一握りの企業によってコントロールされているテクノロジーに帰結させるべきではありません。

手塚：まさにウィテカーさんのおっしゃる通りで、実はこのプロジェクトは「人間のため」のプロジェクトです。人間のクリエイターが物を創造すること。それをAIがサポートできるか、ということが研究のテーマでした。
ですから、「AIに漫画を描かせる」というのは、正確ではありません。AIを使って私たち人間がどういう新しい物語を生み出せるか。私たちが取り組んでいるのは、まさにそういうことだと理解していただきたいです。

安宅：手塚治虫先生が描いてきた絵をAIに学習をさせることは理解できます。しかし「情念の学習が可能なのかな」と私は思っています。手塚治虫プロンプトで、手塚治虫先生のようなストーリーを本当に生み出すことができるのかについては、非常に疑問があります。

手塚：おっしゃる通り、手塚治虫のストーリーには、「人間の感情」が重要な要素として入っています。AIに生成させた場合、こうした部分も見せかけでは出すことができます。しかし、そのAIが生成した物語を私たちが読んだとしてもほとんど感動できません。
ですから、人間が別の視点を持って何か新しいアイデアをAIに学習させないと、安宅さんがおっしゃる通り、「手塚治虫らしいもの」は生み出せないと私も思っています。

■機械に「知能」は宿るのか？

――本当にいろいろな分野から「AIの現在地」が見えてきました。そしてここからはさらに「人間とAIの関係性」についても掘り下げていきたいと思います。人間とAI、この両者は知性の面でどのように違うのでしょうか。

安宅：まずは、「知性って何だろう」という問題について考えてみます。

人間でもコンピュータでも、すべての情報処理は「外から情報が入ってきて、それを処理し、何らかのアウトプットをする」というプロセスと言い換えることができます。これを踏まえると、知性とは「インプットをアウトプットにつなげる力」だと定義することができると思います。

たとえば、色や肌触りのように、実際にはこの世には存在していないけれども、皆さんの心の中に存在している「感覚」があります。そういった意味を解釈していって、そのうえで、自分たちなりの深い意味理解に基づいて、僕らは何かのアウトプットをするわけです。

その意味で「外からの情報がいったい何を意味するのか」ということの解釈については、機械やＡＩは、人間にかなり追いつきつつある。ただ重層的にいろんなことを感じて、それを組み合わせてどう感じるかという深い「知覚」は、それぞれの人の人生そのものです。というのも、人間がどのように感じるかというのは、知的体験、人的体験、思考体験の集合体となっているからです。

あと、見逃されがちな最大のポイントは「われわれが生命体である」ということです。生命には意思があります。大腸菌も単細胞生物ですが、栄養源のあるところに近づき、熱すぎるなどの危険を感じるところからは逃げます。つまり、意思とは生命の本質的な側面の一つであり、神経の数とは別の問題です。植物も、意思を持って光があるほうに向かい、そうではないところを避けるわけです。その延長として、経験からの意味理解が織り込まれたわれわれの神経系が何らかの意思活動をやっているという話なわけです。この「意思」の話は、先ほどの情念の話に直結します。

僕も子どもの頃から熱心に読んでいた手塚治虫先生の漫画は、『きりひと讃歌』『火の鳥』『陽だまりの樹』とか、普通では思いつかないような視点からの議論が大変多い。そういうものを描こうと思うのか思わないのかが、人間の人間たる最たる部分なわけです。

さらに話を展開すると、「ここを見せたいんだ」と人間が思うところは、ものすごく核になる部分だと思います。このように意思を持って何かを作るのは、ＡＩというよりわれわれの仕事であり、根底から何かが違うんじゃないかなというのが、私の認識です。

ウィテカー：私は宗教学者ではありませんが、安宅さんからお話しいただいた「人間の本質」に関して、私なりに考えをまとめてみます。

先ほども紹介したように、ジョン・マッカーシーが、１９５６年にＡＩという言葉を作ったのは、ロックフェラー財団からの研究資金を得やすいと考えたことが理由の一つでした。

彼がこの言葉を考案したのには、別の理由もありました。当時、マッカーシーやその同僚が行っていた研究は、「人工頭脳学（Cybernetics）」と呼ばれていましたが、マッカーシーはこの言葉を作った人物と一緒に共同研究をしたくありませんでした。そこで彼は、新たな名前をつけることで、すでにその領域で活動していた研究者を排除しようとしたのです。ここでこの話を例に挙げたのは、ＡＩという言葉がある意味で偶発的に、また恣意的に生み出された用語であることを認識する必要があると思ったからです。

もし、社会の至る所で使われ始めている巨大なシステムのことを、ＡＩではなく人工頭脳学や機械学習、あるいは他の用語で呼んでいたら、人間の知能と人工知能の違いを議論することはなかったでしょう。また、人間における知能でさえも、IQテストなど様々な評価方法が存在しており、定義は一つではありません。ですから、一部の大企業が売り出すシステムに知能のような特性を見出すことには、慎重であるべきだと私は思っています。

結局のところ、AIと呼ばれているものは、巨大なインフラ設備で運営される大規模な統計システムであり、そこに必要な大量のデータは人々を追跡、監視して集められているのです。そして、マイクロソフトやグーグルやメタなどの、こうしたシステムを運営する巨大IT企業は、システムの電源を切ったり、アクセスを制限したり、国によってシステムの使用許可の判断を変えたりできてしまう。このような一握りの大企業の統計システムに、知能という言葉を適用するのが果たして正しいと言えるのでしょうか。

そして、このようなシステムに人間性を見出すように促すマーケティングの多くは、社会的・経済的なインフラとして普及することによって、「誰が実際に利益を得ているのか」という点から私たちの目を逸らそうとしていると言えます。

安宅：とはいえ、僕の定義だと「機械だって知性がある」と言えると思いますので、マシン・インテリジェンスのようなものは存在すると考えています。ただ、われわれのような意思がない。つまり、やりたいことはないのだと思います。

ただ、これは定義の問題ですので、あんまり言い合う必要はないと思っています。そもそも知能を定義した人が、ほとんどいないのです。

僕はさっき言ったような「インプットとアウトプットをつなぐ力」だと思っています。その度合いが、いわゆる知能だと思っています。

■人間の肉体的な労働が、人工的な知能を支えている

ウィテカー：ここで、見失ってはいけないのが、この機械を構築するために必要となる、人間の労働についてです。というのも、われわれ人間の知能に似ているように見えるシステムを作るためには、実際にかなりの人間の労働力を必要とするからです。

これらのシステムは膨大な量のデータを必要とします。現在のパラダイムでは、システムが大きければ大きいほど良いと考えられています。つまり、データが多ければ多いほど、計算設備が大きければ大きいほど、これらの生成AIシステムはより高性能になります。

そして、これらのシステムに社会の礼儀やビジネスの常識をわきまえた振る舞いをさせ

るためには、何人もの労働者が必要になります。なぜなら、現実がどのように見えるかをこれらのシステムに教えるためのデータは、インターネットからかき集められたものだからです。それは私たちがプラットフォームに投稿するデータであり、YouTubeのコメントであり、redditであり、インターネットに残っているすべての痕跡です。

また、私たちが知っているように、インターネット空間は非常に醜い場所にもなり得ます。だから、これらのシステムがその醜さを鏡映しにして複製するのを防ぐために、膨大な数の人間の労働者が必要になるのです。このようなシステムは、人間なしには作れないということです。

現在、このような労働力を確保するためによく行われているのは、賃金が非常に低い場所で、下請けの労働者を雇うことです。たとえば、ChatGPTを開発したOpenAIは、ケニアのSamaという会社と下請け契約を結んでいました。その会社では、非常に低い賃金と引き換えに、労働者に不穏なコンテンツを繰り返し閲覧させ、ボタンをクリックしたり指示を与えたりして不適切な内容であることを機械に教え込む作業をさせていました。そうすることで、機械は出力すべきではない内容を統計的に認識するようになります。しかし、こうした作業が労働者にもたらす副次的な結果は、非常に有害です。不快なコンテンツに繰り返しさらされることで、働く人々は精神的に参ってしまったり、心身の健康を損なったりしてしまったと報じられています。

繰り返しになりますが、データが自動的に知能に変換されるのではありません。機械に対し、何を望んで何を望まないか、何がOKで、何がNGであるかを伝えるのは、知能を持った人間なのです。そしてもちろん、その労働者たちは、OpenAIからその基準について指示されています。つまり、何千人、何万人、何百万人もの人々のデータと労働なしに勝手に出来上がるシステムなど何一つないのです。

私たちがマシンを「知能」として語るときには、こうした人間の基本的な労働と知能を議論の中から消し去っていることを認識すべきだと私は思っています。

■機械は「時間」を経験することができない

——議論が白熱してきたところで、再度、手塚さんにもお話をお伺いします。AIはこれからの将来、手塚治虫になれる可能性はあると思いますか。

手塚：遠い将来についてはわかりません。ただ、近い将来で考えてみると、「それは無理だ」と私は思います。なぜならば、手塚治虫というのは「一人の人格」だからです。この人格の中に哲学や思想があって、それが作品に生かされています。

この哲学や思想はどうやって生み出されたかと言いますと、手塚治虫が何十年間か生きている中で、いろいろ経験したり、体験したりして得られた情報がもとになっています。私は、人間の学習と時間には切り離せない関係性があるように思います。

ＡＩは一瞬にしていろいろな情報を集めて学習しますが、そこに「時間」という概念はありません。でも人間にとっては、その時間と情報の関係性が非常に重要になってきます。たとえば、手塚治虫は思春期に戦争体験をしています。ちょうど戦争をしているとき、彼は中学生でした。そのときに戦争体験を通じて培った感情や考えが、彼の根本原理のようなものとして残っているわけです。その経験をもとに、いろいろな時代に置き換えた作品を生み出したりしています。「三つ子の魂百まで」ではありませんが、幼い頃や若い頃に芽生えた感情が心に残り続け、手塚治虫は物語を生み出していたように思います。

先ほども話に出ましたが、感情や抽象性はなかなかデータ化しにくい。つまり、ＡＩにとってとても学習しにくいものなのです。ＡＩは非常に具体的な事物に関してはいくらでも学習することができます。しかし、人間の感情、感性、感覚といった一人一人持ってはいるがうまくデータ化できないものに関しては、正しい学習をすることができません。ただ、見せかけの感情があるようにうまく言葉を操って、そういう感情があるかのように見せかけているに過ぎないのです。

これに関しては、これからまだ議論していかなければいけない問題がありますが、「まるで手塚治虫のようなもの」という漫画は、もしかしたら生み出せるかもしれません。ただ、その漫画の中に、本質的な深い考えや哲学、そして感情は備わっていません。

先ほど申し上げた通り、私は普段、映画の監督をしています。その中では、俳優さんを指導しています。つまり、俳優さんに「感情を持たせる」というのが、私の仕事です。

ある俳優は、本当にその感情を心の中で作ることができます。一方で、ある俳優は見せかけの感情を演じることができます。でも、出来上がった映画で見ますと、どちらの俳優が演じていても、「人を感動させる」という結果に変わりはありません。

見せかけでも、人を感動させることはできるんです。ですから、ここは非常に複雑な問題になってくるかとは思います。

しょう。

加えて、われわれクリエイターがもう一つ大事にしていることがあります。それは――非常に言葉にしづらいんですが――第六感とかインスピレーション、「急に何かが閃く」という経験です。

この閃きというものが、ときには非常に大きな要素になるんですね。これは、極端な言い方をすると「偶然性」とも言えるような何かです。この偶然性のようなものをコントロールできるのかというのは、非常に難しい。

60年代ぐらいに「偶然性の研究」というのは世界中でなされました。たとえば、アメリカのジョン・ケージという作曲家は、「チャンス・オペレーション」という作曲システムを考えました。これは、「サイコロを振って、その出た目によって譜面を作る」というような偶然起きたことを創造に生かしました。

こうした偶然のようなものを、僕らは普段から物を作る際に非常に重視しています。その偶然の中から何を発見して、どのように使って物を作るのか。

たとえばＡＩが、非常にデタラメな何かの言葉をわれわれに提示してきたとしましょう。それはまったく意味をなさない言葉だったとします。それに意味を持たせ、重要なものを見出すのは人間の側です。

ですから、われわれが物を作り出すときに、その偶然性をうまく得られるシステムとして、もしかしたらＡＩは使えるのではないか、ということも実は考えています。

■人類は「ＡＩ」とともに生きていくしかない

――みなさんがそれぞれ、ＡＩと人間の差に関して考えていらっしゃるのが印象的でした。では、それぞれ違いがある人間とＡＩは共存できるのでしょうか。


安宅：人間は、自分のために機械を作っているので、「もちろんできる」はずです。

こうした機械と人間の共存というテーマは、かなり古いものです。サイバネティクスの先駆者であるＪ・Ｃ・Ｒ・リックライダー先生（１９１５～１９９０年）の頃から、「計算機と人間の共存」という話は出ています。

そもそも歴史を振り返ってみれば、人間は自分たちが生み出したどんなものとも共存してきたわけです。現在面食らっているのは、人間の人間たる極限的事象と思われていた言語理解をも機械がやり始めたから、というだけです。むしろ、ウザいメールの返信を機械にやらせて、もっと楽しいことに集中できると思えば、アリだと思いませんか。また、非常に煩雑な手直しを機械にやらせて、本当に意味のあることに集中できると考えれば、良い時代だと思いませんか。

これまで通り、新規の変化から学びつつもリスクへの対応はできます。「これまでの技術と同様、共存はできるし安心していい」と私は思っています。たとえばですが、自動運転気味の車のテスラに乗ると、高速道路ではほとんど何もしなくていいので、いざというときの判断しかしなくて、ずいぶん脳がフリーアップして、いろいろなものをいっぱい考えられるようになります。みなさん、幸せになります。

ウィテカー：厳密に言えば、70年近く前にジョン・マッカーシーがＡＩという言葉を発明して以来、人間はＡＩと共存しています。

そして繰り返しになりますが、私の見解では、この言葉は大規模なシステムを意味するのであって、知能も感覚も持っていません。魅力的で興味深い二次的な使い方もあるので、人間がＡＩと共存することも可能です。しかし究極的には、それを導入するための資金とレバレッジを持つ組織が、人々を評価しコントロールするためのツールになっています。

ですから、人間はＡＩと共存することは可能ですが、そう簡単にはいきません。支配する側が侵略的で監視的なテクノロジーを導入した場合、大多数の人々には大惨事が起こるでしょう。たとえ非常に過酷な状況でも、人間が生き延びられることは、歴史からも、そして悲しいことに現在においても、私たちはよく知っているのではないでしょうか。

しかし、私たちが問うべきは、ＡＩの力が一部のプレーヤーに集中し、地政学が非常に複雑化した時代に、大多数の人間が単に生き延びるだけではなくて、どのようにして人生を謳歌できるかということです。つまり、私たちはＡＩを、世界を支配しかねない技術システムなどと見るべきではありません。

私たちは「ＡＩを支配する企業」を注視し、それらの企業がどのように利益を得ているかを理解する必要があります。そして、彼らの思惑に左右されることなく、大多数の人間にとって有益な世界を作るべきなのです。

手塚：ＡＩは、一つの物体ではなく一つの存在物でもない、と私は考えています。ですから、そもそも「何かと一緒に人間がいる」という感覚はありません。

ウィテカーさんが指摘するように、ＡＩは、社会のシステムの中に組み込まれているのです。「この社会で生きていけるか」というような問題にもつながってしまうとは思いますが、このような技術をわれわれはもう生み出してしまいました。なので、この技術はこれからもずっと——どういう形で進化するにせよ——われわれの身近にあるわけです。

ですから当然、このような技術が「ある」ということは、意識していかなければならないと思います。それを本当にシャットアウトしたいのであれば、パソコンも何も使わないで、山の中で昔ながらの生活をするというようなことをするしかありません。ですが、少なくとも文明社会で生きている限り、それは難しい。となると、「もうわれわれはこの技術と一緒に生きているんだ」と考えていくしか仕方がないと思っています。

■本当に人間は「一つのツール」になってしまうのか？

——たとえばこの本に収録されているトッドさんは、「見かけ上の加速は生まれると思います。しかし、実際には減速です」（46頁）という意見をお持ちです。さらに、マルクス・ガブリエルさんは、「この道具は、われわれ自身を道具に変えてしまう」（２１９頁）というお話をされています。こうした意見に対して、どのような感想を抱きますか。

安宅：いろいろ思うところはありましたが、とくに「人間がツールになるんじゃないか」というガブリエルさんの話には、少し付け加えたいところがあります。というのも、「道具というのは、根本的にそういう部分がある」と思うからです。

みなさんは「車があるから車に乗りたくなる」。もし車がなければ「車に乗りたい」とは思わないわけです。人間が作ってきた道具には、昔からそういう傾向があります。包丁だろうが何だろうが、道具とはすべてそのようなものです。別に、昨日や今日始まった話ではないのです。

しかし、そのツールと思っていたものからの指示や示唆に基づいて意思決定がなされた場合のことを冷静に考えると、それがどんどん進んでいき、「何かに迷うたびにツールからの示唆を得て、提示されたオプションから選ぶ」みたいなことをやっていたら、たしかにツールと言えばツールのような気もしてきます。こうなってくると、僕ら自身が「社会全体の部品」のようにも思えてきます。

だから、「今さら、何を言っているんだろう」という気もしますが、少し立ち止まって考えると、たしかにうっすらと不愉快な状況に置かれているとも思いますね。

ウィテカー：私は、トッド氏にもマルクス・ガブリエル氏にも、大変感謝をしています。

まず一つ目のポイントとして、「ChatGPTは、実際には真に知的なわけではない」（219頁）という指摘は、至極まっとうなものだと思っています。ChatGPTはもっともらしく見える出力を生成するだけであり、現実や真実とはまったく関係ありません。ですからジャーナリズムには適していません。もちろん学術的な研究にも適していません。むしろ、クリック数や閲覧数を稼いで広告収入を得るために、誤情報や誤解を与えるようなコンテンツが拡散する可能性だってあります。ですから技術の進歩について語るときには、それによって何が可能になったかをよく確認する必要があると私は思っています。

二つ目のポイントは、「ツールのためのツールになる」という点（219頁）であり、これは非常に的を射ています。しかし、それは単にツールとしてChatGPTが作られたということではありません。

マイクロソフトは2023年1月に自社のクラウドサービス上でChatGPTの提供を始めました。スタートアップやその他の企業に対し、ChatGPTを使うためのAPIへのアクセス権を販売し、マイクロソフトのクラウドサービスの効果的な宣伝になっています。

ChatGPTの運用コストがどれくらいかかるのか、正確な数字はわかりませんが、マイクロソフトはChatGPTを提供するために、週に何千万ドルものコストをかけているとみられます。加えて、マイクロソフトは1月の開始以来、すでに複数回の仕様変更をしています。つまり、ChatGPTはどこかから突然飛んできて私たちが使えるようになったようなツールではありません。このツールを使う私たちは、実際にツールをコントロールしている主体に従っているのであり、その主体とは巨大テック企業という権力です。

そして、ツールがどんなもので、何をするのか、誰が利用できるのかといったことは、利益と成長という彼らのインセンティブに基づいて決められているのです。

手塚：マルクス・ガブリエル氏の指摘にあった「ツールのためのツールになる」という話では、私はチャップリンが作った映画『モダン・タイムス』（1936年）のことを思い出しました。この映画が作られたとき、世の中には「オートメーション工場」ができてきていました。この工場で、労働者はオートメーションの機械に振り回されます。チャップリンはそういう姿を、面白おかしく描いていました。しかし現代になって「今度は精神活動のうえでも同じようなことが起こる」ということを、ガブリエル氏は懸念しているんじゃないか、と私は感じました。

ただ実は、私自身はChatGPTなどの生成ＡＩをハナから信じていません。普段の生活で使うことは、ほとんどありません。なぜなら、それが私にとってはまったく必要ないからです。

また「ChatGPTは、実際には正確ではない」という指摘もありました。これから先の未来ではどうなるのかわかりませんが、そうは言っても「WEBの世界にある情報のどのぐらいが正しくて、どのぐらい価値があるのか」ということはすでにわからなくなっています。

ネット上の情報は、もうカオスの状態になっています。こうした「ネットを含むコンピュータが使われる社会に、私たちが振り回されないようにするという意識を持っていく」ということは大事だと私は思います。そしておそらくですが、ガブリエル氏もそのようなことを言いたかったのかな、と推測しました。

■AIの危険性に対処するための「二つの規制」

——すでにみなさんから指摘はありましたが、AIの危険性についても再度伺いたいです。これまでのお三方のご意見をまとめてみると、三つの危険性が指摘されたように思います。

一つ目は、AIそのものが人間にもたらす危険性。「ツール」という言葉もありましたが、ウィテカーさんが指摘するように、そのツールを握っているのが巨大企業に限定されています。そして、そうした企業は、とにかく監視をすることで利益を得るような側面があります。

二つ目は、ＡＩが悪用される危険性。生成ＡＩの登場以降、ＡＩは文章、写真、動画などの芸術的なものも生成できるようになりました。これは、手塚さんにもご指摘いただきましたが、するとは今度は、フェイクや贋作も増える。

そして三つ目が、ＡＩの開発が独占的である問題です。ＡＩの開発がもし巨大資本にしかできないのだとするならば、ウィテカーさんが指摘したように、巨大資本に都合の良いシステムになってしまうじゃないか、という危険性もあります。

では、私たちはこの危険性をどうやってコントロールしていけばいいのでしょうか。今、この時代にＡＩに向けて、国際社会でどのようなルール作りが行われているのか。そして日本が果たせる役割というのは、どのようなところにあるのかなどをお教えいただけますでしょうか。

安宅：必ずしも全容がわかっているわけではありませんが、今ギチギチに、ＡＩの利活用に対して世界的に法的に拘束力のあるルールで縛ろうとしているのには、二つの軸があります。

「人権もしくは生命に影響を与えているのかどうか」という軸が一つ。「不可逆的な影響を与えてしまわないかどうか」という軸がもう一つです。

この二つに抵触するものは、法的に拘束力のあるルールを形成しようという力がものすごく強く働いています。これは当然だと思います。

逆に言うと、それ以外のところを変に縛ってしまうと「産業の創生力」が破壊される恐れが高いので、それ以外に関しては「取り決め」のようなもので回そうとしているというのが、今の流れです。

今、一番とにかく問題になっているのは――AIそのものの意思が今のところない以上は――悪用する人です。たとえば、軍事的なものや心の操作に関するものです。

これは空き巣とかと違って、悪意ある心を持って、AIの悪用を行う人は発見するのが非常に困難です。空き巣被害にあったら、窓が割られているからすぐわかる。でも、AIの悪用に関してはやられていることがわからないのです。

この問題にどのように対処するのかが大問題です。もはや法律とかでうまく対処できるような問題ではありません。常に悪い人はいるのですが、これを発見できないというのは非常に難しい問題となります。

ウィテカー：フランシス・フクヤマ氏が「権力が集中することの危険性」（79頁）を明確に指摘した点を大変評価しています。

AIを開発するために必要なコンピュータ資源やデータ、そしてそれらが一握りの企業に集中しているという事実を分析する必要があると私が繰り返し訴えるのは、そうすることによって、このテクノロジーをコントロールする明確な方法を示してくれるからです。私たちがその気になれば、AI技術を規制するのは、実はとても簡単なのです。

たとえば、垂直統合された事業を分割して、別の企業や組織、あるいは公営のインフラに分離するような構造的分離をするなど、競争環境からの救済策を検討することもできます。

私たちへの監視や私たちのコミュニティ、国民、世界に関するデータの収集や作成をやめさせることを検討してもいい。彼らのそうした活動を大幅に抑制することに、目を向けることもできます。また、あらゆるデータを収集して消費者プロファイルを作成する監視広告という手法を止めることができれば、こうしたシステムを生産・再生産するために必要なデータの流れも断ち切ることができます。

これは魔法ではないのです。魔法のランプから飛び出したら、私たちの手では戻せないジーニーではないのです。これは、ただのビジネスモデルであり、資本の集中の問題であり、ネットワーク通信システムの独占という以前からあるタイプの問題なのです。

だからわれわれは通信システム業界を許認可制や国営にして規制してきたのであり、ネットワークコミュニケーションは通信の量と質によって価値が生まれるため、高品質で大規模な通信網を築いた者だけが市場に参入できるのです。1990年代にアメリカで生まれた商用インターネットにおける権力の集中がまさにそれであり、一方で中国は国内市場を守って独自のエコシステムを築きました。また逆の立場から見ると、現在、巨大テック市場に新規参入するのが非常に困難になっているのも、この理由のためです。

ここでの結論として明らかにしておきたいのは、AIの危険性を明確にして取り除くことは十分に可能だということです。しかし、それには政治的な意志が必要であり、市場支配力に関係ないAIシステムの能力ではなく、大きな権力を持つ企業の資産と物理的なインフラにこそ目を向ける必要があります。

■手塚治虫から学ぶ、人類と技術が共存する方法

――安宅さんが指摘したように、「テクノロジーと人間の共存の問題」って、ずっと議論され

ていることではあります。その例として、原子力をエネルギーにしているという点からも、手塚治虫さんの『鉄腕アトム』は、そうしたテーマに貫かれているように思えます。手塚さんは、この問題はどういうふうに捉えますか。

手塚：『鉄腕アトム』で登場するアトムは、実は当初はロボットの少年となる予定ではありませんでした。もともと手塚治虫が思いついていたのは『アトム大陸』という題名の物語でした。これは、原子力を平和利用する架空の国を舞台にした物語です。人間が原子力をどう使えば素晴らしい未来を築けるのか。また、どういう問題点があるのか。手塚治虫は、そういう漫画を描こうとしていました。しかし残念ながら、この物語は子ども向きであるとは思われず、描く前に止められてしまい、何も残っていません。その後、この「アトム」という文字を使って、『鉄腕アトム』というロボットの物語を生み出しました。

『鉄腕アトム』はだいぶ誤解をされましたが、科学礼讃の物語ではありません。「未来の社会は、これほど素晴らしい科学技術がある」ということがテーマなのではありません。

むしろ、その逆です。科学が暴走することによって、人間にどういう不利益を与えるか。どういうふうに社会が脅かされるか。ということが物語化されています。そして、その科学の暴走には、その裏に邪《よこしま》な人間たちの思惑が潜んでいます。それはエゴであったり、貪欲さであったりします。そういう者たちが科学を使うことによって、どれほどひどい結果になるのかということを描いているのが『鉄腕アトム』です。

その一方で、アトムのもう一つのテーマは「アトム」というロボットの少年を介した、人間同士、あるいは人間と科学というものの接点・関係性です。「その関係を良いものにしていこう」というテーマが、ここには込められています。ですから、手塚治虫は、単に「科学は自分たちの友達である」という考え方だけではなく、その裏にある危険性もわかったうえで、それをわかりやすく子どもに伝えられる物語として『鉄腕アトム』を描いたのです。

さらにはっきりとした未来の脅威を描いた作品として、『火の鳥』という漫画もあります。この漫画の中の一つに、未来社会を描いたものがあります。

その作品を紹介しますと、登場するある国でリーダーシップを取っているのは、一つのAIです。そのAIが国のすべてを管理しています。しかし、このAIが突如狂い始めてしまいます。そして、隣の国のAIに、喧嘩を売るようなことを仕掛けていくのです。当然、AI同士が衝突するようになり、「どちらかのAIは存在しなくなるほうがいい」という結論に行き着きます。ここで戦争が起きてしまいます。まさに、ＡＩが勝手に決めた戦争で、結果として核戦争になってしまいます。その話では、こうして人類は滅んでしまいます。非常に厳しい物語ですが、本当にこういうことは起きるのでしょうか。

それはわかりません。しかし、起こらないように、私たちはこの社会を作っていくしかないとも思っています。ですから、手塚治虫がずっと言っていたこととウィテカーさんが言っていることは、ほとんど同じなのです。手塚治虫作品を読んできている私たちは、実は子どもの頃からそのことを知っています。

しかしその一方、安宅先生も僕ややＡＩに肯定的な立場から発言をしているように感じているかもしれません。この理由は、「それが日本人の感性だからではないか」と思っています。

日本人はみんなロボットが好きなんです。僕が思うところですが、日本人は非常に古い精神性を持っております。アニミズムに近い考え方がまだ心の中で生きているんです。

日本人はすべての物体や自然のものなど、そのすべてに命があって、魂を持っているというような感じ方をしています。ですから、ロボットという作られた道具のようなものでも、非常に愛情を感じることができます。

もし、ＡＩに対して愛情を捧げる人類がいるとしたら、その最初は日本人なのではないかという気もしています。だからこそ、私たち日本人がこのＡＩを正しく見ていくこと、ＡＩについて正しい知識を持っていくことが、非常に大事じゃないかな、とそんなふうに私は思いました。

■AI時代を生き抜くために必要になる教育

――いろいろな危険性は考えられますが、そもそもAIリテラシーを育成していくためには、どういったことが求められるのでしょうか。

安宅：一般の人は、とりあえず使い倒すことから始めたほうがよいでしょう。従来型のデータサイエンスは、多くの方には訓練なしに使用することができませんでした。しかし、生成ＡＩなら使うことができます。生成ＡＩの良さはこの使いやすさにあります。だから、とりあえず使ったほうがいい。

ただ、生成ＡＩを作ったりチューンしたり実装したりするのは、相変わらずプロの仕事です。そうした人たちを増やす取り組みも、現在どんどん行われ始めています。このように、数理データサイエンスやＡＩ教育を行って裾野を広げるというのは、とても重要なことです。

この裾野が広がれば、人口のうちの10人に1人ぐらいが専門家になれますし、そのうちさらに10人に１人、つまり人口の１００分の１ぐらいはプロになれます。

現状では少し遅れを取っていますが、とにかく5年なり10年なりのうちに、今の国家的取り組みの延長で数理データサイエンスとＡＩ関連の教育は相当のところまで底上げできると私は思っています。そのためにも、まずはとりあえず、いろいろ使ってみるのが重要でしょう。

今までのような「決まった答えを覚える」といった努力が本当に価値を失うような瞬間にわれわれは生きています。そうしたことは、機械の得意分野です。だから、われわれ人間にとっては、「どの問いに答える必要があるか」「課題はどこにあるのか」を見極める力のほうがよっぽど大事になります。

となると「こういったものが欲しい」とか「こういうものをやりたい」といった気持ちがある人を育てるのはめちゃくちゃ重要です。こうした気持ちのことを、僕は「心のベクトル」と呼んでいます。「自分はどんなことが好きで、どんなことは嫌い」とはっきり答えられる人を育てることは、本当に重要です。

そのためには先ほど手塚さんがおっしゃっていた通り、その人なりの蓄積と経験や、その人なりの歴史を作るということは、すごく大事になってきます。

その方向に向かって、日本の教育も変わりつつあります。現在、10年に1回の「学習指導要領」の見直しも行われています。ただ、10年に1回の見直しということ自体、若干サイクルが長すぎるように思えます。

ただ、現場を変えるのは並大抵のことではありません。これは明治時代からやってきた百何十年の歴史を変えようとしているのも同然だからです。とはいえ、その気持ちがあるのは間違いありません。

それよりも、各家庭での教育のほうが大きな意味を持つと思っています。たとえば学校においても、実は放課後とか休み時間にやっていることのほうが、教育の中心だと明らかになってくると私は思っています。

■AIとともに描いていく「人類の近未来」

――では、未来の世界では、人間とAIはどんな関係になっていると想像しますか。AIとそれに向き合う人間はどうなっていくでしょうか。

手塚：私は、AIと人間は「パートナー」のような関係になっていくと思います。どんなパートナーになるのかは、それぞれの人によって違うとは思います。

たとえば、僕の個人的な希望でもありますが、「もう一人の自分が欲しい」という気持ちがあります。これは物体としてのクローンということではなく、「精神的な存在」としての自分がもう一人欲しいと考えます。

AIによって生み出されたもう一人の自分と対話をしたり一緒に考えたり、ということをしたいです。そして、家族も含めて一緒に生活をしていきたいと、私は夢見ています。

ウィテカー：未来はどこにも書かれていないので、私たち自身が未来を有益な形にする責任があると思います。そのためには、現在地を明確に示す地図が必要です。なぜなら、現在地を正しく示した公平なデータがなければ、適切な意思決定ができないからです。

ですから、AIリテラシーとはどのようなものかを考えたときには、私たちに対する意思決定や予測に使用される、すべてのAIシステムに関する情報を明らかにすることを義務づける必要があると思います。たとえば、銀行がいつ融資の判断をしたのか、そのためにどこでAIが使われたのかを私たちは知る必要がある。また、どこの企業が提供するAIを使っているのか、そのAIはどの大企業からライセンスを受けているのか、誰がこれらのシステムから利益を得ているのかについても知らされるべきです。

さらには、コスト削減や人件費削減のためにAIを採用することを決めた取締役会での会話の内容まで私は知りたい。こうしたことについて、もっと情報が必要なのです。また、これらの情報に関して、民主的な方法で調査することも望みます。そうすれば、このアメリカ拠点のテクノロジーの管理方法や、私たちの生活や制度を陰でコントロールする中央集権的な企業にどのような権力を与えるかを私たち自身で決めることができます。そのような情報環境があれば、私たちは誰にとっても住みやすい未来を切り開く力を発揮できると思っています。

そして、20世紀に自動化技術と工業技術の分野でリードしてきた日本は、戦略的に優位な立場にあります。また、OpenAIのサム・アルトマン氏が日本を訪れて視察し、ChatGPTの利点を説いて回っている一方で、日本には中国企業からの圧力もあります。つまり、アメリカと中国に挟まれた日本は、エビデンスに基づいたルールを作ることができる立場にある、と私は思っています。地政学的な意味合いや民主主義の未来への影響にも目を向けた、エビデンスに基づいたアプローチで、日本は今後もリードしていくことができると信じています。

■強力なテクノロジーがもたらす「人類への恩恵」

――安宅さんは「AIと人間の共存」について、日本が果たせそうな役割はどんなものだと考えていますか。

安宅：われわれの多くは「AIを使い倒すだけ」なので、その関係性についてはそれほど心配する必要はないでしょう。この社会は、多少以上の課題がある原子力ですら、使っているわけですよね。

ただ、ここから10～15年くらいは「人間の尊厳」とは何かについて、われわれは深く考える必要に迫られるでしょう。そうした時代をわれわれは生きています。「言葉が扱える」ということは、人間の人間たる本質でした。日本に住むわれわれはその延長で、膨大な妄想を繰り広げ、物や世界を作ってきました。そうした中で「われわれとは何か」ということを深く考えていく必要があります。

もう一つの論点として、ウィテカーさんがご指摘されたような「プラットフォームに対する集中」の話もあります。そして僕はそれよりさらに怖いものとして、「軍事的な悪用」という可能性もあると思います。もし、自律的な意思を持つように見える機械が無限に発生する「ボットの化け物」のようなものが大量発生した場合、われわれは太刀打ちできません。

なので、そうしたものに断固とした規制をかけて、あえて言うなら「免疫力」というようなものが必要になります。この免疫力は、社会全体、全世界的に必要になるでしょう。その力を高めておかないと、非常に厄介なことになるでしょう。軍事的な悪用をする人たちの力は、どこから発生するかわかりませんからね。ここから10年20年、この問題は大きなトピックになると思っています。ここでも、日本が貢献できることはあると思います。

ただ、ＡＩよりも人間の世界のほうが、深刻な課題がいっぱいありますよね。「地球との共存」とか、あと１００年から２００年後も続くと思われる人口調整局面をどのように凌ぐべきか、というのも重要な論点となるでしょう。「こういった人間の問題に、ＡＩをどのように活用するか」にわれわれは集中するべきでしょう。悪いところは抑え込みつつ、どのように活用できるか考えるほうが、問いとしては正しい気がします。

現在登場してきたようなＡＩのように、圧倒的なパワーとヘビーな情報処理力や思考力を持つような機械は、これまで現れたことがなかったようなものです。だから、これらを使い倒すことによって、対応できる問題も多いと思っています。

また日本は、技術に対して、特殊な向き合い方ができると思っています。われわれは、技術の負の利用と言えるような「広島や長崎における原子力の軍事利用」といった大変不幸な体験をしています。だからこそ、技術が良い側面にも悪い側面にも振れ得ることを、骨身に染みてわかっている珍しい人間たちです。その立場から、「われわれがどのように平和的に新技術と向き合うことができるか」について、そして「どんな未来を作っていくか」に関して、バランスが取れた議論ができるんじゃないかなと私は思っています。

加えて、われわれがプラットフォームを持っていないというのは、弱みではありますが、それと同時に強みでもあります。結局、GAFAMとかBATHのようにプラットフォームを持っていると、どうしても「自分の子を守る」といった感じになってしまいますよね。日本の車産業も実は同じ構造ですよね。車産業において、われわれは世界における主要プレーヤーです。なので、どうしても「自分たちの産業を守る」的な議論が中心に出てきてしまいます。

われわれは、こうしたことをAIとかデータの世界においてはやらなくて済みます。だから、フラットな立場からAIと向き合うことができると思っています。これは、実はとても素敵なことだと思います。

■AIは日本にとって、どんな恩恵をもたらすか？

——手塚さんは、クリエイターの現場から、日本のルール作りに対して期待することは何かありますか。

手塚：まず、日本には素晴らしい文化があることを、みんながちゃんと認識すべきなんです。私は、たまたまＡＩを使って漫画というものを生成しています。でも、漫画だけではなく、日本にはたくさんの素晴らしいものがあります。これらは国の宝ですが、日本は、現在は海外にうまくアピールできていない、と私は思っています。

ですから、こういう新しい技術を使うことは、「日本の文化をどのように発展させていくべきか」「どのようにＡＩを使えばそれが可能か」を、同時に考える良い機会になるでしょう。

「今の私たちがＡＩに対してどういう気持ちで向き合えばよいか」という問いへの私なりの持論なのですが、「科学というのは迷信である」と考えておくべきだと思います。

昔は迷信というものがあって、それを科学は否定してきました。でも、今の科学技術が、本当に正しくてすべて真実かどうかというのは誰にもわからない。私はむしろ「疑ってみる」ということが、非常に重要だと思っています。

現在は、ＡＩなど科学技術は、非常にカオスな状態でもあります。「すべてに対して疑いの目を持ちながら、それをどうすればうまく使っていけるのだろうか」といろいろ考えていくにはちょうど良い時期が来ています。私はそういうふうに思っています。

――それでは最後に、ウィテカーさんにＡＩ開発者として、日本の読者の方にメッセージをお願いします。

ウィテカー：どうか、日本のみなさん、現実から目を背けないでください。日本は技術に対して中立的な立ち位置を取り、私利私欲ではなくエビデンスに基づいて政策決定をしていく立場にあります。だからこそ、ＡＩ業界で実際に起きていることからあなたの目をそらし、惑わせようとする言説に注意してください。

コーディネーター／キャスター・ジャーナリスト　長野智子

3
Humanity × Philosophy

支配者はだれか?
私たちはどう生きるか?

Markus Gabriel

マルクス・ガブリエル

哲学者。1980年ドイツ生まれ。古代から現代に至る西洋哲学の緻密な読解から「新しい実在論」を提唱したことで、世界的な注目を集めた。「哲学界のロックスター」の異名を持ち、伝統あるボン大学において史上最年少の29歳で正教授に就任した。主な著書に『なぜ世界は存在しないのか』『「私」は脳ではない』（講談社選書メチエ）、『世界史の針が巻き戻るとき』『つながり過ぎた世界の先に』（PHP新書）など。

戦争とテクノロジーの彼岸
「人間性」の哲学

終わらない戦争と、果てしない進化を続ける技術。共存と繁栄の「人類の夢」が潰えたような現代で、われわれ人間の手の中に残された「切り札」とは？現代最高の哲学者による「人間性」を再考する試み。

■コロナ禍が明らかにした「日本の特異性」

――マルクス・ガブリエルさんは、2023年春、4年ぶりに来日されました。久しぶりの東京訪問についてまずはお聞きしましょう。何か変化や新しいことはありましたか。

私が滞在していた時期は、パンデミックの収束が、正式に宣言された時期でした。法的な意味では「パンデミック収束」のまさにそのときでした。国境が開かれたばかりの時期だったので、私が知っている東京の国際的でグローバルな感じはまだありませんでした。ロシアのウクライナ侵攻の影響で、東京へのフライトや私の旅行ルートは以前とはまったく違っており、日本は以前よりも遠く感じられました。

そして、私が感じたことは、国境が閉鎖され、厳しい政策が取られる中で、日本は1990年代から続いて、とても興味深い国へと変貌を遂げていた、ということです。

ポストモダニズムの絶頂期である1990年代、日本はいろいろな意味で世界をリードしていました。ビジネス界などのソフトパワーとして、日本は多くの面で文明の象徴でした。

そしてある意味では、パンデミックの最中に——ニンテンドースイッチの素晴らしい発明を私はいつも例にするのですが——日本は、その成功の一部を取り戻しました。別の面では、日本は1990年代の考えを変えずに、それを別次元に押し上げたのです。パンデミックの期間に、日本は非常に知的な形で改革に取り組み、いくつかの欠陥を修復したと思うのです。

ある意味で、4年ぶりの日本は、90年代の「未来」に旅行したような気分でした。日本が過去から抜け出せなかったという意味ではなく、日本は欧米の他の地域と比べると別の「未来」に行ったのです。

これは文字通り、「未来に戻る」(back to the future)旅でもありました。そう表現するのは、文化的にも適切だと思います。それも非常に成功した方法でやっており、批判的な意味ではありません。

コロナ後の日本は、まるで若い頃に見ていた夢の世界のようでした。私はソフトパワーであり、ロールモデルでもある日本を見ながら育ったからです。今の子どもたちもそうでしょう。

意図的ではないかもしれませんが、日本はこの戦略とポジショニングによって、若い世代に対するソフトパワーを獲得しているということです。

私の子どもたちや多くの子どもたちは、再び日本の製品に魅了されています。『スーパーマリオ』の映画などはその典型でした。これは最もわかりやすい例ではありますが、漫画やファッションなどより深い層も同様です。

日本が力を発揮している他の領域もあります。電気自動車などは、まさにそうです。問題は、そういったことに気づいたうえで、日本はいつまでこのモデルで繁栄し、生き残ることができるかということです。

パンデミックの前に日本に来たときは、（知的、文化的、社会経済的な）日本の発展は、欧米の他の国とシンクロしていました。

しかし、パンデミックの「鎖国」期間中は、日本は外部の視線からある程度独立して自らを定義していました。

一部のジャーナリストや、パンデミック中に、日本にとどまらざるを得なかった人たちを除けば、日本人以外の視点を入れさせることはなかったのです。そういう意味では、ある種の90年代の日本的なエッセンスが新しい形として現れたということですね。

その一方で、日本では、常にあらゆる面で完璧を目指すので、そこにすでにあるものを完璧にしたんです。そして再び、日本はロールモデルとなりました。最高水準の一つとしてです。

■パンデミックによって鍛えられた「民主主義」

――面白い印象ですね。それは日本がコロナ禍で、特に長く、固く、国境を閉ざしたことと関係しているのかもしれませんし、外からの視線で4年ぶりに見たからこそ気づくことかもしれません。

ちょうど1年前にお話をしたとき、パンデミックによって、「国家権力は強化されている」という指摘がありました。パンデミックの時期には、日本を含む、多くの国が国境を閉鎖し、国家単位の動きが顕著になったからです。振り返ってみて、パンデミックは国家に何をもたらしたと思いますか。

もちろん、私たちは、国家権力というものを実感しています。日本やドイツのような民主主義であっても、ロシアや中国などの権威主義であってもです。

ある意味で、国家は、パンデミックによってその真の姿を現したのです。国家は、いわばルールに従う保護者として、あるいは制度を守る保護者として、背後で活動したのではありません。国家は、その本質を示したのです。

そして、驚くべきことに、これが閉ざされた国境の中で起こった限りにおいて、国家権力の本質は、グローバルというよりも国家単位のものでした。つまり、私たちが目にしたのは、すべての国家権力における規範の乖離《かいり》なのだと思います。

文化的に言えば、パンデミック後のドイツは、以前よりも日本と異なっていると思います。また、ドイツとフランスについても、同じことが言えるでしょう。ドイツとベルギーは隣国であるにもかかわらず、ドイツとベルギーはパンデミック前よりも異なっています。

そしてそれは、国家がその構造を顕在化させながらも、閉ざされた国境の中にあったことによるものです。国家はこの間、観光客や難民、亡命希望者にも対応する必要がありませんでした。

こうした人々もまた国家と関わり合うことがありませんでした。誰もが国境内にとどまっていたからです。こうして、どこの国でもナショナリズムが高まり、国家権力が強くなったのだと思います。

ただ、驚くべきことに、これは本当に良いことなのですが、強力な自由民主主義社会では、パンデミックという例外的な状態のもとでの公衆衛生の対策などが、憲法を変容させることも、破壊することもなかったのです。

だから一部の哲学者を含めた人々が恐れていたこと、つまり、このパンデミックという例外的な状態が民主主義国家を権威主義体制に変貌させる、ということは、まったく起こらなかったのです。

日本がパンデミック以前に比べて、民主的な統治が欠如しているとは感じません。ドイツも同様です。むしろ、ドイツは逆説的に、民主主義国家であることを誰もが認識するようになりました。

たとえ、当時のアンゲラ・メルケル首相が、ドイツをある種の「健康独裁国家」にしようと望んだとしても、機能しなかったでしょう。もしもそのようにするとすれば、民主主義の制度があまりにも強すぎたのです。これは、興味深い教訓です。

しかし同時に、民主主義は不安定なものであり、自由な統治形態であるがゆえに、新しい形の危機にも直面しています。日本の安倍元首相が暗殺されたことも忘れてはなりません。これも歴史を変える決定的な瞬間でした。

つまり、民主主義国家は、パンデミックによってもたらされた反民主主義的要素の脅威によって、逆説的に民主主義を強めました。一方で、権威主義体制は権威主義を強めています。民主主義の中で民主主義が上昇し、権威主義の中で権威主義が上昇したのです。

この根本的な二元論が、21世紀の問題となることに、変わりはありません。権威主義的な体制と民主主義的な体制、この二つは、パンデミック以前よりも離れているということです。

その原因は、まさにウイルス対策が果たした役割にあります。ウイルスそのものが原因という意味ではありません。ウイルスなんて、ただの生物学的なものです。ウイルスと私たちの社会的関係、つまり私たちがウイルスにどう反応したか、ということです。

私はコロナ禍の中で「パンデミックとは何か」について考えてきました。

パンデミックについて考える一つの方法は、「生物学的な事象」と捉えることです。そう考えると、パンデミックは、人間という動物に対する脅威です。もしワクチンなしで大量のウイルスにさらされたら、われわれは死んでしまうかもしれません。同時に、社会的な関係も考慮する必要があります。

もしパンデミックが、本当に社会的かつ生物学的なものであるならば、それらを一つの絵に組み合わせると、パンデミックは、私たちを大きく変えたことになるのです。

■「矛盾」というリベラルの弱点とどう向き合うべきか？

——コロナ禍を改めて振り返ると、中国の台頭、ウクライナ戦争、西アフリカなどでの中ロへの接近の動きなどが浮かびます。これらを見ていると、戦後、私たちが信じてきた西欧の自由や民主主義が、必ずしも世界の進路ではないのではないかと考えさせられます。リベラルな民主主義は、相対的な意味で、世界的に力を失いつつあるのでしょうか。

その通りです。これは非常に深刻な問題です。

私が考えるに、リベラルな民主主義は、それ自体の矛盾のために魅力を失いつつあります。そして、それ以上に、私たちは自らの矛盾に向き合っていないのです。

たとえば、資本主義の矛盾です。

多くの人々の認識では、資本主義は自由をもたらし、近代性（モダニティ）の条件のもとで、何十億人もの人々を貧困から救ってきました。

中国やロシアと比べてはるかに優れたワクチンを生産したのは、資本主義社会でした。民主的資本主義は、多くのことを成し遂げてきました。

しかし、民主的資本主義は、常により多くの成果を約束するものです。そして今、私たちは気候危機に直面し、権威主義的な体制に直面し、民主的資本主義に代わる、権威主義的資本主義に直面しています。

ここに、問題があるのです。

権威主義とリベラルの競争で勝ちたければ、われわれは「真のリベラル」にならなければなりません。私の解釈では、これは資本主義の内部にある矛盾を克服しなければならないということです。

その矛盾は、たとえば企業における資本主義的な剰余価値生産にあります。ホワイトカラーを含む、労働者の日常的な現実の中にあるのです。これは、社会主義的な意味ではありません。人々が仕事をするうえで、ヒエラルキーが多すぎます。つまり、権威主義的な要素が多すぎるのです。

私が言いたいのは、すべての人の自由を増やすために、ボトムアップ・モデルで経済を再構築する必要があるということです。そうでなければ、完全な権威主義体制と比較することはできませんよね。

権威主義に勝つためには、民主的資本主義の中にある権威主義的要素を取り除く必要があるということです。さもなければ、権威主義が、私たちを打ち負かすでしょう。

これは、ロシアでも見られる現象です。制裁は必要でしたが、目指していた成果を達成できませんでした。ロシアは戦争経済に基づいて運営されていて、BRICSの枠組みの中で機能できるからです。このため、経済的にロシアを打ち負かすことはできなかったし、今後もロシアを経済的に打ち負かすことはできないでしょう。

しかし、「私たちがより自由であること」によって、ロシアを打ち負かす必要があるのです。自由は人間にとって魅力的なものです。われわれの社会を、現在よりも自由にする必要があるということです。

だからこそ、私たちはジェンダーのトピックなどにも、奮闘しているのです。21世紀においてより自由な解放を達成するには、どうすればいいかを模索している。それが進むべき方向です。

なぜなら、リベラルな民主主義、つまり私たちのリベラリズムに対する批判の一部は、現在では内部から出てきているからです。経済成長の恩恵を受けているのは、一部のエリートだけで、社会内の格差が広がっている、という批判もあります。

■資本主義は「十分に資本主義的ではない」

――ここに、ガブリエルさんが言う「倫理資本主義」というものが、リベラリズムの現状を変える一つの鍵として出てくるわけですね。

その通りです。

私の主張を言い換えるなら、現在の問題点は「資本主義が十分に足りていない」ということです。独占企業やごくわずかな個人、有名な億万長者たちが疑似宗教的な権力を持っている。ザッカーバーグ（メタCEO）やベゾス（アマゾン創業者）などが典型です。天才起業家や勝者が、すべてを手にするモデルという考え方は資本主義ではありません。

だから、私はジョー・バイデンアメリカ大統領が行った資本主義批判を、資本主義批判としてではなく、「私たちが十分に資本主義的ではない」ことを指摘しているのだと読み取りました。なぜなら、グーグルには真の競争がないからです。

検索エンジンには、自由市場がありません。検索エンジンでグーグルに勝とうとすれば、このことに気づきます。勝てる可能性はほとんどありません。

あまりに多くの経済力があまりに少数の個人の手中にあるのは、資本主義ではありません。資本主義とは、再分配の自動的な構造が存在することを意味します。それは、システムに内在するものです。

私は、国家が介入して、イーロン・マスク（テスラＣＥＯ）からお金を取り上げて、貧しい人々に与える必要がある、と言っているのではありません。また、社会主義のモデルを擁護しているわけでもありません。それではうまくはいかないでしょう。

そうではなくて、システム化する必要があるのです。要するに、本来の形の資本主義がもっと必要だという主張になるのです。

本来の形の資本主義では、移動の自由や、市場の自由などがあれば、いつでも別の仕事が見つけられ、上司に奴隷のように使われる必要はありません。しかし、もしビッグデータ企業が1社しかなければ、あるいは数社しかなければ、ジェフ・ベゾスから始まる指揮命令系統に依存するしかないのです。

■「人間である」という共通点から始まる道徳

――私たちが現状の資本主義のあり方を変えることができぬまま、自由民主主義的な価値が後退し、それが普遍的な価値でなくなる未来はあり得るのでしょうか。

普遍的な価値とは、私のイメージでは人間の生のあり方に根差したものです。哲学者スキャンロンの有名な言葉を借りれば「私たちは人間性を共有しているという事実から、お互いに何かを負っている」のです。

私たちには、共通点がたくさんあります。あなたは日本人で、私はドイツ人。あなたと私は性別も違う他にも、「仕事も違う」「人生経験も違う」など、私たちを違うものにしているものはたくさんありますが、深く共有しているものがあります。それは「人間性の人形」です。イマヌエル・カントは「私たちはお互いに何かを負っていて、それは相手の人間性への敬意なのだ」と言っています。どのような統治や経済モデルとも関係がありません。

そして人間は、このことを非常に基本的なレベルで認識しています。私たちはみな、飢《き》餓《が》が悪いことだと知り、レイプが悪いことも知っています。残忍な形態の搾取や肉体的暴力が容認されないことも、みな知っています。

ウラジーミル・プーチンでさえ、そんなことはわかっています。プーチンが敵対勢力に暴力を振るうのは、それが悪いことだと知っているからです。それがまさにポイントなのです。道徳は、普遍的なものなのです。

資本主義や近代性は、普遍的な道徳的価値と社会経済システムを一致させることを約束しています。もしそれがうまくいかなければ——社会経済システムが道徳的進歩をもたらさないのであれば——それは信じられなくなり、信頼性を失います。

そしてこれが、不平等によって、自由民主主義に今起きていることです。資本主義は、もはや解放につながらないわけです。人々は、そのようなモデルに疑問を持ち始め、残念なことに、ボトムアップの動きが活発化するのではなく、権威主義的な幻想を抱く支配者層と結びついてしまう。

イーロン・マスクはその典型です。また、ロサンゼルスの億万長者たちもそうです。これをどうにかする必要があると私は思っています。だから、新しいトリクルダウン戦略が必要なのです。

そして、支配者層や経済エリート層に求められるのは、自分たち自身の生のあり方の持続可能性は、いわば「与える自由」にかかっていると理解することです。そしてそれは、課税や規制などとはまったく異なるものです。

■人類固有の「絶対的な道徳的事実」

——現実には、格差や宗教の違いなど共通点を見出せない人たちの間で、多くの争いが起きています。ガブリエルさんは、争いや戦争が起こるのは「他者を非人間化するときだ」と主張していますね。自分とは違う価値観を持つ人たちを、非人間化するからこそ、ネット上で他人を中傷することもできてしまうし、戦争にまで発展したりします。

一方で、お話しいただいたように、私たちには普遍的な道徳的価値があり人間性があり、違う文化がそれを覆い隠し、異なるように見せているだけだとも主張されています。では、普遍的な道徳的価値とはいったいどんなもので、どうすれば獲得できるのでしょうか。

倫理理論や価値、とくに倫理的価値について考えるとき、人は――多くの人は意識していませんが――最初の段階で非常に重要な選択を迫られます。それは、「道徳的実在論」と「道徳的非実在論」のどちらを選択するか、ということです。ここでは、後者を相対主義と呼びましょう。

道徳的相対主義あるいは道徳的非実在論とは、倫理的には「普遍的な価値観は存在しない」という考え方です。そこにあるのは「集団への帰属の表現」だけです。日本人の価値観もあれば、ドイツ人の価値観もあるし、中国人の価値観もあれば、ロシア人の価値観もある、と考えます。

たとえば、「敵対者のプライベートジェットを撃つこと」は、ロシアの価値観と両立し得るのかもしれません。道徳的相対主義の立場からは、「ロシアではそれは裏切り者に対処するための倫理的に問題のない行動なのだ」と言うこともできます。

あるいは、マイノリティには、マイノリティ自身のグループアイデンティティがある。だから「もっとジェンダー平等が必要だ」という点について考えるときに、女性やトランスジェンダーの人たちは他のジェンダーアイデンティティを持つ人たちとは違う、とするのが一つの考え方です。

それぞれに異なる価値観があり、私たちはその価値観の違いを尊重する必要がある。それが「相対主義」です。つまりそれは、普遍的な価値観の否定でもあります。

一方で、道徳的実在論とは、「倫理的な問いには集団への帰属を伴わない答えがある」という考え方です。

非常に単純な例を使いましょう。子どもが浅瀬で溺れているとします。このとき、自分自身に問いかけてみてください。「その子どもを助けなければならないのか？」と。その際に、条件はありません。あなたは車椅子に乗っているわけでもなく、自分の子どもと他の子どものどちらかを、選ぶ必要もありません。問題は目の前に子どもがいるだけで、あなたがすべきことは、子どもを水から救い出すことだけです。

この状況では子どもは救うべきだ、とみな知っています。私が誰であろうと子どもが誰であろうと関係ありません。その子がどこの出身であろうと、どんな宗教、民族、性別だろうと関係がありません。また、私の民族、性別、宗教が何であるのかも関係ありません。それらのことはまったく関係なく、私はその子を救わなければならないのです。これこそ、私が「絶対的な道徳的事実」と呼ぶものです。

そして、今挙げたような「絶対的な道徳的事実」が一つあるのであれば、なぜもっと多くのものがあると考えないのでしょうか。

たとえば、「地下鉄の駅で、車椅子の人を後ろから突き飛ばしてはいけない」「キーウの幼稚園に弾道ミサイルを撃ってはいけない」「裏切り者が乗っているからといって、プライベートジェットを撃ってはいけない」。これらは、道徳的な絶対的事実だと私は思うのです。

同様のことは、もっと列挙することができます。「ある国を植民地にしてはいけない」「マイノリティを差別してはいけない」。それらが、絶対的な道徳的事実であるという見解は、私たちに道徳的進歩をもたらし、トランスジェンダーの人たちへの敬意をもたらし、あらゆる形の性の自己決定への尊重をもたらし、反人種差別をもたらします。

私たちが集団に帰属することによって期待するものは、すべて普遍的な道徳から得られます。しかし集団への帰属、あるいは相対主義からは、得られるものが少ないのです。

相対主義は絶対的な道徳的事実を説明できません。むしろ、絶対的な道徳的事実の存在を否定します。道徳的実在論は、倫理において優れています。相対主義よりも多くのことを説明し、すべての人類の共通点を認識することを可能にしてくれます。

私の身近な例をお話ししましょう。ミュンヘン安全保障会議で、二人の偉大なノーベル平和賞の受賞者と話す機会がありました。私は彼らに、「コロンビアの内戦の状況下で、何を経験しましたか。そして、平和構築において何が最も重要だと考えましたか」と尋ねました。

そのとき彼らのうちの一人は、反乱軍に息子を無残に殺された母親のエピソードを語ってくれました。息子を殺された彼女は、その後、偶然に息子を殺した犯人に会い、死にかけていた犯人の命を救ったというのです。このとき、彼は「人間性を見た」と言いました。息子を殺された母親は「犯人が死のうとしていたからこそ、彼を救わなければならなかった」と言ったのだそうです。

普通は、その犯人のことを殺したいと思うでしょう。しかし、母親はその強い思いを克服したのです。なぜならその女性は、「この人も誰かの子どもなんだ」と思ったからだと言います。

それが「人間性を見た」ということです。そして、地球上の多くの人々が、あらゆる宗教的伝統と同様に、これが人間の可能性であることを認識しています。

■異なる文化を持つ者たちが共存するための「人文学」

――その逸話は、究極の人間性が表れた例ですね。一方で、例に挙げられたいくつかの価値観は、比較的新しいものです。「人を殺してはいけない」とか「地下鉄で車椅子の人を突き飛ばしてはいけない」というのは、国や人種に関係なく、現代でほとんどの人たちが共通して持っている価値観だと思います。

しかしたとえば、性的マイノリティやジェンダーへの考え方は比較的新しいもので、日本でも光が当たるようになったのはごく最近のことです。国や文化によっては、今も受け入れられていません。こうした新たな価値観が生まれるとき、まったく異なる価値観を持つ人たちが、どうやって歩み寄り、共通点を見つけ、対話を始めればいいのでしょうか。

それこそが、決定的に重要な問いです。そこで私が考えたのは、これを倫理の「ヒューリスティクス」と呼ぶことです。ヒューリスティクスとは、解決策を見つけるための理論です。「根本的な不一致がある状況で、どうやって道徳的事実を知ることができるか」という認識論です。

例として、ロシアの侵略戦争を考えてみましょう。これは、ただの邪悪な攻撃です。道徳的な不一致ではありません。こうした判断をするのは、倫理的には簡単だと思います。この場合は、悪がどこにあるかすぐにわかります。単純に「人権の侵害」があるのです。

一方で、お見合い結婚を考えてみましょう。たとえば「(既存の性の区別に当てはまらない) クィアの権利を擁護するリベラルな英国人が、ヒンドゥー教のナショナリストとお見合い結婚の是非について議論をした」と考えてみましょう。

これは道徳的不一致のかなり極端な例です。ここで私が言いたいのは、「人間性を持ち込む必要がある」ということです。つまり、実際に存在する文化論を持ち込んで、事実の根拠を研究するのです。

ヒンドゥー教のナショナリストは、おそらくお見合い結婚を擁護します。その一方で、クィアの権利を擁護するリベラルな英国人は恋愛関係における自由な結びつきを重視するでしょう。

では、この両者がそれぞれの意見を主張するに至る根拠はいったい何でしょうか。そこで「二つの文化の間に、どんな利害関係があるのか」「その文化には、実際にどんな背景があるのか」と考えることが求められます。

お見合い結婚の是非についてよく考えてみましょう。ある条件下では「お見合い結婚が良い」とわかることもあります。自由恋愛の要素が強いと思われているマッチングアプリでも、インドの占星術のように二人の相性を計算することもできます。自由恋愛の条件下でも、お見合いの要素が取り入れられているのです。

要するに、深刻な道徳的不一致の状況下で、正しい解決策を見出すには対話が必要です。しかもそれは、人文学に裏付けされた対話が必要なのであって、単なる二人のランダムな会話ではありません。人文学やすべての学問領域が必要になってくると思うのです。地域研究や文学、メディア学、宗教学……。これらによって、道徳的な対立を解決できます。それが「新しい啓蒙」のための私の新しいアイデアです。

■多様性を残酷なまでに阻害するテクノロジー

――少し話を違う方向へ向けましょう。相対主義には得られるものが少ないという指摘がありましたが、自分と共通点を見出せない人に対して徹底的に無関心になったり攻撃したりすることを加速させているのが、現代のテクノロジーの一側面ではないでしょうか。巨大IT企業は、私たちのデータから、人種、性別、政治的見解、宗教などの属性によって、細かくカテゴリー分けしています。白人男性で50代でキリスト教福音派にはこの情報、日本の女性で40代で東京に住んでいればこの情報、という具合に、私たちは属性に応じた情報を与えられています。個々の人間ではなく、属性ですべてが決まる。これは「テクノロジーによる非人間化」の一種でしょうか。

まさに非人間化だと思います。テクノロジーの実装は「アイデンティティ政治」の社会において、邪悪な非人間化の一形態だと私は思っています。テクノロジーは、表面的なアイデンティティの指標によって、人間を区別するのですから。

たとえば、民族性やジェンダーの認識などは、まさにそうです。たとえば、一般的な文化研究からわかっているのは、「民族性」とは、本当に複雑だということです。

生物学上は、人種というものは存在しない、というのが21世紀に実際にあった発見です。人種を決定する遺伝子というものはない、というのは生物学的な事実なのです。しかし、人種差別は存在しています。われわれには、人種によって不公平な扱いをしてきた歴史や経験がありますよね。

この複雑さを理解するためには、事実に基づいた人種理論が必要です。なので、これは非常に複雑な分野となっています。

ジェンダーについても同様です。しかしＩＴ企業は、ジェンダーに関する単純なステレオタイプを作り上げています。「性的指向」あるいは「測定可能な欲求」というデータで見ているのです。

「画面上のどこに視線が移動するのか」「画面に映し出されたあるものに、どれくらいの時間、釘付けになるのか」。これらはＩＴ企業が、ユーザーを惹きつけるために測定し、利用することができるデータポイントです。しかし、それはアイデンティティのステレオタイプを生み出すことも意味しています。

また、あなたが、マイノリティ――たとえば黒人のフェミニスト――を取り上げて、デジタル空間の中で発言権を与えても、実際に彼らを支援することにはなりません。むしろ「黒人のフェミニスト」というステレオタイプを作り出しているだけです。なぜなら、その人たちがそのアイデンティティにはおさまらない「複雑な存在である」ことを見えなくしてしまうからです。

ここには、パラドックスがあります。要するに、アイデンティティ政治におけるテクノロジーの実装は、人間の実際の多様性を侵害するということです。つまり、多様性を支持しているように見えて、まさにその正反対のことをしてしまっているのです。違いを単純化されたアイデンティティに固定しているのですから。単純化して言えば、差別を助長しているわけです。以前は存在しなかった差別を、残酷なまでに助長しているのです。

■一人の人間が持つ「多面性」を見失ってはいけない

――では、テクノロジーによって多様性を奪われることなく、人間性を重視した価値観を創造するにはどうすればいいのでしょうか。

それは、私が「人類学的多様性」と呼ぶものの全領域を認識する必要があると思います。私たちが本当はどれほど多様な存在であるかを認識する必要があるのです。もちろんこれは表面的な説明ですが、このような概念を持つことが重要です。

日本におけるジェンダーの問題を語るためには、「女性」という概念が必要になります。

その過程で、女性の解放を促進する目的で、「女性」という側面だけが強調されて分類されてしまった人たちもたくさんいます。しかし、人間には、多くの異なる軸があり、多面性があります。

たしかに、その人たちを「女性」という旗印の下に統合することは、ある時点においてはかなり重要な機能があります。しかしそれと同様に、よくよく観察してみて、多面性を見る必要もあります。

なぜなら、彼女たち一人ひとりは異なるグループに属しているし、異なる性的指向を持っているからです。政治的な考え方も違います。誰一人として同じ人はいません。

私は、アイデンティティ政治を「差異の政治」に置き換える必要がある、と思っています。「差異の政治」とは、先ほど紹介したように、「どんなアイデンティティの指標であっても、よくよく観察してみるともっと多面性がある」ということを考慮に入れた政治です。つまり、現在論じられている多様性よりもはるかに多様である必要があるのです。それが、私の考える解決の形です。

二人の女性を見たとき、そこにただ単に「女性たち」を見るのではなく、一人の人物ともう一人の人物——そして二人の人間の経験——を見るのです。それは、とくにソーシャルメディアでつながりすぎている現代において、本当に必要なことだと思います。

――ソーシャルメディアで私たちが見ているものは、そのような人たちの「データセット」のようなものであって「実在の人物ではない」ことを意識しなければならないわけですね。

その通りです。私たちの会話を例にして考えてみましょう。

コロナ禍以降、私たちはオンライン会議などのデジタルシステムを、頻繁に使うようになりました。しかし、そのコミュニケーションにおいては、限られた情報しか選択していません。私たちがやり取りをしているのは、声や会話で交わされる言葉の意味、身体の二次元的な視覚表現だけです。

デジタルシステムを通じた会話では、匂いや微生物のやり取りはありません。ウイルスやバクテリアが伝わることもありません。一緒に食事をすることもできません。つまり、私たちには、視覚にはない人間同士のやり取りというものがたくさんあるのです。

デジタルシステムを通じて私たちがしていることは、「ステレオタイプ」的なものです。私たちは、人間の他の様々な経験よりも、視覚と聴覚を優先しているからです。これが現実だと感じるから、他のことに気づかないだけなのです。でも、現実から一部を抜き出しているに過ぎません。

■AIというツールによって、人類がツールになり下がる

――こうしたテクノロジーの中でも、2022年から2023年にかけて起こった大きな変化は、ChatGPTに代表される、大規模言語モデルの生成AIの登場です。AIが社会の隅々まで普及し、人間には理解できないことを分析して知らぬ間に判断するようになったとき、人間には何が残されるのでしょうか。人間が人間らしく生き続けるためには、何をするべきなのでしょうか。

そのことを考える上では、理論家たちが「抽象度」とも呼ぶものを理解することが非常に重要です。AIは、この抽象化レベルにおいて機能するものです。

つまり、これらのAIは、現実については何も知りません。しかし、私たちはAIが「全知全能」だと勘違いしています。しかしこれは、非常に迷信的な態度です。

重要なのは、これらのシステムが知ることができるのは、プログラムから得られる事柄だけだということです。ChatGPTには目も鼻もありません。特定のプログラムの情報で作動するだけです。

その情報を扱うスピードはどんな人間よりも速いのですが、ある意味では——とくにChatGPTというOpenAIの製品は——効率の面で少し優れたウィキペディアに過ぎません。ChatGPTはウィキペディアや本より知的ではありません。なぜなら、情報を保存し、操作する手段に過ぎないからです。

真に知的なわけではなく、何かを知っているわけでもないのですが、「信じられないほど効率的なツール（道具）」であることは間違いありません。そして、ここに危険が潜んでいます。

というのも、この道具は、われわれ自身を道具に変えてしまうからです。なぜなら、これはハンマーのようなものではないからです。この道具は、私たちをモデルにして、考え、話し、書き、行動するのです。そして、これらのモデルは、自身がより良く機能するために、私たちを利用します。

私たちは、自分自身の「道具の道具」となっているわけです。つまり、プロセスを進める私たち自身が、そのプロセスの対象物になってしまう。これを私は危険視しています。

かつてはＦＢＩのような情報工作組織が行っていたようなことを、今やＡＩができるようになっています。これも本当に深刻な危険です。近い将来このようなことが、より多く見られるようになるのではないでしょうか。より巧妙なフェイク、ディープフェイクが、ますます重要な役割を果たすようになり、その結果、私たちの心をより大きく操作するようになるのです。

問題は、このような操作ツールから自由民主主義を、どのように守ることができるかということです。こうした事態に直面した以上、私は厳格な新しい法律が必要だと思っています。多くのものは違法にするべきです。

数年前、私は「ツイッターを違法にするべきだ」と言いました。それが「Ｘ」に代わった現在でもその考えは変わっていません。「フェイスブック」も違法であるべきです。

この私の主張は、すべて先ほど述べた「私たちは十分に資本主義的ではない」という主張とつながっています。

「ソーシャルメディアを規制すべきだ」というのは、反資本主義的な社会主義者の主張ではありません。自由市場を擁護する、資本主義的な主張なのです。非常に強力な規制に、新しい法律。これにより、市場の自由を両立させることができるのです。

これは、リベラル政党が今見逃しているところです。リベラル政党の多くは、まだネオリベラリズム（新自由主義）のイデオロギーにとらわれています。

ネオリベラリズムは、強すぎる独占企業と完全に共存していました。たしかに歴史的に見ても、これは矛盾していません。しかし、今の私たちに必要なのは「ネオリベラリズム」ではなく「新しいリベラリズム」なのです。

AIは人類に「新しい倫理」を生み出すことができるのか？

――AIと人間との未来の関係を考えたとき、私たちは、AIが私たちの思考に影響を与えていることに気づかず、自分たちの頭で「新しい倫理」を創り出していると思い込む可能性はないでしょうか。自分でも気づかぬうちに、AIに思考や倫理観がコントロールされて作られる倫理は「私たちが考えた倫理」と言えるでしょうか。

素晴らしい見解だと思います。現在の状況の重要な部分を把握するうえで、あなたのアイデアは非常に有用だと思います。その例を考えてみましょう。

まず、今のＡＩとその倫理は、完全に「時代遅れ」のものです。そして倫理を押しつけているると考えるべきだと思います。ＡＩの倫理をめぐって論じられているすべてが「新しい倫理」とは正反対のものです。

ＡＩにできるのは、せいぜい古代の倫理体系や功利主義、カント倫理学など、何であれＡＩシステムに変えることくらいだからです。これらを一連のアルゴリズムなどに変えるわけです。しかし、それは道徳的な進歩にはつながりません。

21世紀を生きる私たちは、二つのことを目にしていると思います。

一方は、道徳的進歩の真の台頭です。社会運動を考えてみてください。「フライデーズ・フォー・フューチャー（未来のための金曜日）」や「ブラック・ライブズ・マター」は、ほんの一例に過ぎません。社会運動はニュースなどで知られているもの以外にもたくさんあります。進歩的な成果があり、非常に成功していますよね。それが人間性の一つのレベルです。

もう一方が、ＡＩの台頭です。「民主主義対権威主義」という構図で、ＡＩは権威主義の側に立っていると思います。そして、現実の人間たちは戦い、苦しみ、命を落とし、喉が渇いている。実際に苦しんでいる人たちが、世界には何十億人もいます。

世界は、日本やドイツだけではありません。それを考慮に入れると、考え得る最良の意味での「新しい倫理」の台頭は、グローバルサウスからもたらされるかもしれません。問題は、現在の不平等に苦しめられている人たちは、どのように声を上げることができるのか、ということなのです。

ただ、BRICSの会議やIT業界に暗黙に存在する、権威主義的で保守的な傾向を見る限り、そう明確には言い切れません。実際、BRICSの会議は、あまり期待できるものではありませんでした。中国やロシアは、ブラジルの貧民街の人々やアルゼンチンやエジプトのインフレに苦しむ貧しい人々を、解放することはないでしょう。

またIT業界も、結局は保守的です。これがパラドックスです。見た目は派手でピカピカしていますが、それはユーザーの表面上の錯覚に過ぎません。奥底では、保守的なのです。アメリカや他の国々では「IT業界はリベラルだ」と思われているのかもしれません。しかし、それは幻想です。彼らの組織を見てみると、冷酷なトップダウン型です。多くが、スティーブ・ジョブズのような天才的な男性が、トップに立つモデルです。そして、基本的にトップに立つ天才的な男性が、指揮命令系統に気まぐれに指示を出します。これは、まさに保守的で、本質的に右派的な組織です。

右派と左派を単純化すれば、左派は、おおよそ自由、連帯、平等のような理念を大切にします。これが、左派の本質についての一つの考え方です。一方、右派は、ヒエラルキーと国境を大切にします。

先ほど紹介したＩＴ企業の組織体制は、完全にヒエラルキーによって支配され、徹底された指揮命令系統があります。ＩＴ企業はリベラルに見えるだけで、それはただ単に、幻想なのです。イーロン・マスクのように、しばしば共和党と結びついていることがあるのも、偶然ではありません。

■「個別性」や「ローカル」という未来を創造するキーワード

——最後に、今後、多極化した世界はどこに向かうと思いますか。

また、冷戦期のような単純な価値観のぶつかり合いではない、世界で必要な、新たな思想とはどのようなものだと考えていますか。そして、新しい価値を見出すために、日本に役割があるとすれば、それはどのようなものだと思いますか。

日本は近代性において、非常に重要な役割を担っています。たとえば「植民地化をまぬがれた」というのも大きいでしょう。

日本の独自の近代性に、一つの大きな利点があります。日本では、一定のコストがかかったとしても、驚くほど高い水準の平等を実現しようとします。そして、経済成長までしています。とくに、資源の分配に関しては、常に良い状態です。

人口問題のような、どの現代社会も抱えているような問題もいくつか抱えてはいますが、日本は特有の成果をあげています。ある意味では、ヨーロッパで言うところの社会民主主義の成果です。

しかし、それでは日本を内部から説明したことにはなりません。日本は政治的に言えば、社会民主主義と言うよりもリベラルだからです。

より経済的に動き、その意味でより資本主義的です。それが強みでもあります。そして、これが高い水準に洗練された文化と結びついています。

また、言語も日本のアドバンテージになるでしょう。子どもの頃に日本語を学んで、日本語を母国語として読み書きするので、何百年もの歴史と文化が、日常会話の中にコード化されています。

これはすべてを硬直化させ、不自由にすることもあります。一方で、儀礼的な習慣を信じられないほどの回数繰り返すことによって、ある種の高度な自由を実現しているのです。

要するに、日本では他の国と同じように、近代性に対して「その土地特有のもの」が寄与しています。そして私が「新しい啓蒙」と呼ぶものの未来も、普遍的なものに対する、「その土地特有のもの」の寄与にあると考えています。

たとえば、多くの場所ごとに特有の文化を持つドイツという土地が、何千年もの間、様々な形で植民地化されてきたことを人は忘れがちです。私たちはしばしば何千年も前にさかのぼる土地に根差した伝統に、目を向けるべきでしょう。

アフリカやラテンアメリカのどんな場所を考えるときでも、こうしたその土地の伝統が前面に出る必要があります。それが私の希望です。

ヨーロッパの啓蒙主義の誤った普遍性は、「他者に対する、自らの価値観の押しつけ」にありました。こうした偽りの普遍は、東京大学の哲学者である中島隆博さんが言うところの「普遍化する普遍」に取って代わられるでしょう。それはローカル（地域）から生まれる普遍なのです。

日本は、そうした普遍的なものを、自分たちの場所で数多く見出してきました。ここでも、私の大好きな任天堂の例を取り上げましょう。

マリオのゲームは、普遍的に優れています。でもそれは、信じられないほど日本的なんです。つまり日本に根差したものから、全人類にとって良いものを発見したのです。

同様に、日本が平等に関して自国の成果を、もっと世界に向けて主張し始めたら面白いと思います。世界にとって興味深いのは、日本が不平等問題にどのように対処してきたか、です。つまり、どのようにトリクルダウンの構造を——たとえばアメリカよりも——保っているかということでしょう。日本では、億万長者がいるにもかかわらず、寡頭政治が起きていないのですから。

また、その場所固有の価値観に立ち戻ることとは、右翼のポピュリズムの問題に対する解決策でもあります。右翼のポピュリズムは、国家のアイデンティティを主張しようとします。私は、国家のアイデンティティの代わりに、その場所に固有の知識を提供すべきだ、と考えます。ローカルな場こそが、普遍的なものへの道となっているのです。

聞き手／GLOBE副編集長　宮地ゆう

Yoko Iwama

岩間陽子

国際政治学者。1964年兵庫県生まれ。京都大学大学院法学研究科博士課程修了。博士（法学）。政策研究大学院大学教授。専門は国際政治、欧州安全保障。主な著書に『ドイツ再軍備』（中公叢書）、『核の一九六八年体制と西ドイツ』（有斐閣）など。編者として『核共有の現実―NATOの経験と日本』（信山社）など。

中島隆博

哲学者。1964年高知県生まれ。東京大学大学院人文科学研究科博士課程中途退学。博士（学術）。東京大学東洋文化研究所教授。専門は中国哲学、世界哲学。主な著書に『中国哲学史―諸子百家から朱子学、現代の新儒家まで』（中公新書）、『思想としての言語』（岩波現代全書）など。マルクス・ガブリエル氏との共著に『全体主義の克服』（集英社新書）がある。

Takahiro Nakajima

■グローバル化への失望で満たされた10年間

——まずは、お二人には、エマニュエル・トッドさんとフランシス・フクヤマさんが提起した「リベラリズム」や「民主主義」に関する問いをどう受け止めたのか、お話しいただけますか。

岩間：お二人とも、グローバル化の問題を取り上げていらしたのが印象的でした。

私は、ドイツと欧州を主な研究対象としています。グローバル化の政治的な動きは、1970年代にすでに始まっていたと思っています。中国やロシアの国際社会への取り込み、西側との間にパイプを作っていって、それを全体としてつなげていくという政治的な動きは、70年代いわゆる「デタント」の時代に始まっています。その後、80年代の中国では、「改革開放」につながっていきます。

つまり、グローバル化は70年代から始まっていて、それが冷戦の終焉により一気に加速したということです。そして、その時代を生きた人たちには、中国やロシアの社会が豊かになるにつれて、「民主化や自由化」というものがもたらされるのではないか、という期待があったと思います。しかし蓋を開けてみると、とくに2010年代以降は違う流れが出てきてしまったのです。その流れの中に、現在のわれわれは立っていると、私は認識しています。

■中国は、本当に「権威主義的」な国家なのか？

――グローバル化の源流が、70年代のドイツの「東方外交」、そして中国の改革開放へとつながったデタントの時代にあるというご指摘は興味深いですね。

中国哲学がご専門の中島さんは、どのように見ていますか。フランシス・フクヤマさんが言っていたように、権威主義的な政治システムが準市場経済と混じり合って、これほど短期間で成長した例はこれまでありませんが、その先に民主化があるという大方の予想は違っていました。そこをどう考えればいいのでしょうか。

中島：まず一つ目には、「資本主義と民主主義の相性」という問題があります。

私たちは「民主化していくと、それは資本主義的にもプラスに働く」とか「逆に資本主義が進めば民主化する」となんとなく考えています。もしかしたら多くの方々は、「資本主義」と「民主主義」が、非常に相性が良い考え方のように思われているかもしれません。しかし、この両者が本当に相性が良かった期間は結構短いと思います。歴史を振り返ってみると、20世紀後半のアメリカがしばらくの間達成したくらいです。

むしろ、資本主義と民主主義はどこか相容れない部分がある、と私は思っています。たとえば、民主主義は「自由」に加えて「平等」と「公正」を求めます。しかしその「平等」と「公正」に関して、資本主義のシステムの内部では、あまり上手に扱うことができません。そのため、何らかの形で資本主義に介入しなければ、「平等」や「公正」は実現できないのです。このように、民主主義と資本主義の関係には、実は原理的に難しい場面があります。「資本主義化すれば民主化する」と考えてそれが実現したとしても、うまくいかない部分が出てくるわけです。

また二つ目に、「中国の権威主義」に関しても、改めて考えてみる必要があります。その際、政治思想史の渡辺浩先生のご指摘が参考になります。渡辺先生は、明治維新（明治革命）やフランス革命を対比的に論じる仕事を発表なさっています。その中に『明治革命・性・文明―政治思想史の冒険』（東京大学出版会）という著作があり、中国のことにも触れられています。

そこでかなり刺激的な指摘をなさっていました。アレクシ・ド・トクヴィルが『アメリカのデモクラシー』を書いていた頃（1830年代）に見ていた中国は、「実は民主主義的であった」のではないか、と言うのです。

なぜ、1830年代の中国が民主的だったのかと言うと、当時の中国の社会構造に理由があります。宮崎市定やその師匠である内藤湖南が提唱した「唐宋変革論」という考え方があります。「中国は唐と宋で大きく社会構造が変わった」という学説です。唐から宋に時代が移り変わる際に、中国では貴族制がなくなって、中間団体がいなくなります。すると、皇帝と万人が平等な仕方でつながるような関係性になります。

つまり、宋の時代（10～11世紀頃）に出来上がったこのような構造が、その後も続いていったのです。このような関係性には民主主義だけれども、専制主義的でもあるという側面があります。要するに、宋以降、中国では「デモクラティックな専制」が確立されていたわけです。その中で経済発展も遂げ、世界の中でも最も豊かな国になっていきました。トクヴィルが見ていた同時代の中国は、まさにこの「デモクラティックな専制」であり、アメリカが将来陥るかもしれない未来だったのです。

このように考えていくと、「今の中国で起きていることはたまたま生じている」とはあまり思えません。もちろん、トクヴィルの時代の後、19世紀から20世紀にかけて、中国の停滞そして近代化の困難といった厳しい状況もありました。ですので、歴史的な背景と現在をそう簡単にはつなげられないかもしれませんが、とはいえ、このような歴史に裏付けられた社会のあり方が、今日の中国の権威主義的な体制を支える一つの根拠になっている、と私は思っています。

■1970年代のゆがみが、現在の国際情勢を産み落とした

――民主主義の要素と専制主義の要素が同時に存在し得る社会構造は、中国の長い歴史の中ですでに存在していた時代があったわけですね。

さて、私たちは大きな時代の転換期にあるのを感じます。ウクライナ侵攻が始まった3日後の2022年2月27日に、ドイツのショルツ首相は「今が、時代の転換点である」という演説を行いました。大局的な視点で見たとき、今のヨーロッパはどのように捉えることができるでしょうか。

岩間：エマニュエル・トッドさんは、「19世紀、ヨーロッパで起こったこと」と「現在、世界的に起こっていること」には、パラレルな面があるとおっしゃっています。

19～20世紀のヨーロッパの歴史を振り返ると、資本主義だけで社会の問題が解決されたわけではないとわかります。むしろ、資本主義が引き起こした矛盾は、19世紀以降のヨーロッパ社会の中で続いているのです。

ヨーロッパにはこうした流れの中で、社会主義的な考えをある程度取り入れることで、社会の中の不平等に関する問題を解決してきた歴史があります。20世紀後半にはこれがうまくいき、一種の安定がもたらされました。このように、社会民主主義が果たした役割は結構大きいのです。議会制民主主義の中で公平な社会をある程度実現するために、社会民主主義的な政策を保守の側も認めるようになり、そうした政策は踏襲されてきました。

2023年現在、ドイツのショルツ政権は、そうした社会民主主義の流れの中にあります。西洋的な議会制民主主義をやりながらも、隣国のソ連（現在はロシア）がやっていることも視野に入れ、社会主義からでも学べることは学んでいこうとした歴史が、ドイツにもあるのです。しかし、これが現在、行き詰まっています。ドイツ社会民主党（SPD）は支持率を落としており、ドイツ国内の労働組合加盟率も下がってきています。

また、グローバリゼーションの側面で指摘しておきたいこともあります。ドイツ社会民主党は1970年代以降、いわゆる「新東方政策」を行い、ソ連による安全保障要求に関しても、一定程度認めていく方向に外交の舵を切りました。すなわち、ドイツ社会民主党は、「一つの欧州の安全保障システムを、欧州全体で一緒に作っていこう」と努力をしてきた党でもあります。ドイツが1970年代から少しずつやってきたことは、「ロシアとどうつながるか」という課題に答えを出そうとすることでした。ドイツとロシアの関係性の軸にあるのは、「ロシアからドイツがエネルギーを買う」ということです。

一方でドイツは、距離的にも離れている中国との関係構築には少し後れを取ります。しかし1990年代になると、「市場」と「製造の現場」としての中国の重要性が明らかになってきて、ドイツの自動車産業は、中国へと徐々に進出していきました。

ドイツは、ヨーロッパ諸国が抱えている問題の典型例とも言えるでしょう。ドイツでは「製造業を中国に移していくこと」、それから「エネルギーをロシアから買うこと」という二つのことが行われました。しかし、「エネルギーをロシアから買う」というモデルは、ウクライナ危機によって、壁にぶつかってしまいました。また、中国に「製造の現場」を奪われてしまい、「こうしたやり方はサステナブルではないかもしれない」という気持ちを抱えつつあります。このような問題に直面したときに起こった「もう一度、自分たちの労働者に製造の現場を取り戻したい」という気持ちが「ポピュリズム」や「ブレグジット」という形で現れました。

他方で「安全保障という観点から、製造業のほとんどを中国に依存していたらまずいかもしれない」とか「台湾海峡危機は、経済的に大惨事になるかもしれない」といったような意識も出てきています。もともと相手を信頼したうえで成り立っていたグローバリズムがピークを過ぎ、現在では信頼できない国が増えつつある状況が生まれてしまったという印象を、私は抱いています。

■ウクライナを巡る立ち位置の差

岩間：またドイツ国内の分裂にも目を向けておきましょう。

というのも、ドイツ国内の分裂状況は、ヨーロッパ、そして全世界が直面している「分裂」という問題を凝縮したような側面があるからです。

1990年に統合を果たした東ドイツ地域では、ウクライナ支援に賛成する声がそれほど強くありません。ウクライナを支援するのではなく、ロシアとの関係性を重視したうえで安いエネルギーを買ったほうが、もっと生活が楽になるからいいじゃないか、と考える人々も多く存在しています。またこのような人々と、移民や難民、そして外国人を排斥しようと考える人々は多くの場合重なっています。自分たちの苦しい現状の責任を、とりあえず外国人に負わせることで、気持ちの上で楽になる。これに対して、従来のリベラリズムを守ろうとする勢力は、だんだん隅っこのほうに追いやられているような図式になっています。

このような流れは、ポーランドやハンガリーのようなさらに東の国では、もっと大きな規模で起こっていることです。

さらに、いわゆるグローバルサウスの中には、是々非々で「ロシアからは欲しいものを取る」という立場の国も存在しています。これは、それほどびっくりすることでもない、と私は思っています。

グローバルサウスの国々が自分たちの利益を考えて行動した結果、ロシアや中国との関係性をそれなりに維持しようとするのは自然なことです。これらの国々には、いわゆる「リベラルデモクラシー」に対する思い入れもほとんどありません。

しかも、グローバルサウスの国々は、先進国と必ずしも良い関係を結べているとは言えません。むしろ、彼らは「先進国のダブルスタンダード」を手厳しく指摘します。そんな国々にとってみれば、「ウクライナに肩入れする理由はとくにない」という考えになるのも納得できるのではないでしょうか。

中島：私は、中国政治の専門家ではないので、それほど詳しいわけではございません。けれども、中国は、このウクライナ侵攻をめぐって、非常に独特の動きをしている、と私は思っています。

ロシアによるウクライナ侵攻に関して、中国は「なるべく早く停戦をして和平を実現したほうがいい」と一貫して主張しています。これはただ単に「ロシアを支持しているから」というだけではなく、ある種の原理論から来ていると思います。

この原理論は、主権と領土の保全に関するものですので、ウクライナの主張にも合致するところがあります。

また、情勢論から言っても、中国はロシアにも物が言える一方で、ウクライナとも経済的、外交的に強い結びつきがあり、西側がどう疑おうが、ある種の「中立性」を保つことができるからです。

さらに、中国独自の「地政学的な思惑」もあるかと思います。中国にとっては隣国に、北朝鮮という非常に重要な国家があります。この北朝鮮が、ロシアと非常に接近していて、とくに武器に関しては、北朝鮮がロシアを支援するところまで来ています。

では、中国はそれを傍観したり容認したりするかというと、「必ずしもそんなことはない」と私は思っています。北朝鮮とロシアとのこのような関係性に対して、アメリカが神経質になることは必至で、そこから東アジアにおける地域バランスが崩れる可能性が高まってくるからです。これが中国にとって有利に働くかと言われると、何とも言えません。ですから、現在の中国は、非常に独特な位置を取ろうとしているように見えます。

■「小さなコミュニティの崩壊」が、すべての問題の根本にある

——民主主義やリベラリズムなど、私たちが立脚し続けてきたものが、今、世界で変容しつつあります。こうした中で、トッドさん、ガブリエルさん、フクヤマさんは総じて、経済的な不

平等がリベラリズムへの不満や、民主主義の衰退につながっていると指摘しています。

フクヤマさんは、リベラリズムと民主主義を、次のように定義しています。「民主主義とは、自由で公平な選挙によって、人々が統治をすることである」。そして、「リベラリズムとは、政府の統制を、政府の権力を制限するシステムのことである」。つまり、フクヤマさんによれば、リベラリズムとは、ある意味では憲法のようなものとして、行政の暴走や横暴を防ぐシステムであると考えています。民主主義がポピュリズムの熱を帯びることによって、リベラリズムを攻撃することもあるということです。こうした、リベラリズムや民主主義への内部からの侵食という指摘をどうご覧になりますか。

岩間：フクヤマさんがおっしゃっていたような「議会制民主主義」は、歴史的には古くから存在していたものではありません。むしろ、こうしたシステムとしての民主主義は、19世紀後半から20世紀にかけて広がってきたものです。

この時期は、要するに「中間層の時代」であって、かつ「製造業の時代」でもあります。つまり一定の教育を受けた国民が、工場や会社で働いているという時代なのです。そして、これは自動的にうまくいっていたわけではありません。国家による介入によって、ある程度の再分配がなされていた時代でした。しかしグローバリゼーションの時代に突入すると、製造業の現場が中国やその他アジアに移っていくことで、先進国には空洞ができてしまいました。

こうした動きは、コミュニティ崩壊の問題とつながっています。いわゆるトランピズムやブレグジットを支持する人たちが理想としているのは、かつての「古き良き」時代です。つまり、職場にコミュニティがあって、安定した地域コミュニティがあった時代です。しかし現在では、仕事はどこかへ行ってしまって、外国人がどんどん入ってくる、などといろんな意味でコミュニティが侵食されているわけです。このようにコミュニティが崩壊していくことで精神的な不安が湧き起こっています。そして、それがリベラリズムを掘り崩す一つの力になっているのが、現在の状況ではないかと思います。

中島：私が気になったのは、岩間先生がご指摘になった「コミュニティ」の問題、そしてそれと重なるものですが、フクヤマさんも使っていた「アソシエーション」に関する問題です。

最近、斎藤幸平さんのマルクスの再読解が、とりわけ若い人の支持を集めています。その要点は「アソシエーションの問題を後期マルクスが論じていた」ことにあると思います。

アソシエーションが自由に作れ、自由に人々が結合できる。そして、そこに参加し、責任を負う。これは結社の自由である以上に、民主主義が成り立つ根本的な条件だと思います。民主主義は理念や制度がよく語られますが、その基盤に、人々がともに集い、生活し、意見を交換する、コミュニティなりアソシエーションがなければなりません。そこへの「参加と責任」が重層的に形成されてはじめて、制度としての民主主義も機能しますし、理念としての民主主義が根付いていくのだと思います。ところが、コミュニティやアソシエーションへの「参加と責任」の感覚が、いわゆる先進諸国ではますます希薄になってきています。これは、民主主義の根底に関わる、かなり重要な問題であると思います。

日本もその例外ではありません。明治以降の日本は、何度も基礎自治体の大合併を繰り返してきました。明治のときにあった基礎自治体と現在ある基礎自治体の数は、まったく違います。明治の大合併以前の基礎自治体数は約7万で、人口は約4000万人でした。現在の基礎自治体の数は約1700で、人口は3倍ほどですから、基礎自治体が抱える人口は、単純計算で120倍になっています。そこで、私たちが自身の属している基礎自治体に対して、「参加と責任」を果たしているかと言うと、そうでもないわけです。

フクヤマさんは、民主主義を制度の問題としてお考えでした。しかし、制度だけがあったところで、民主主義は機能しません。民主主義の内実は、コミュニティやアソシエーションへの「参加と責任」にあります。これが担保されない限り、民主主義それ自体もうまくはいかないでしょう。

基礎自治体のあり方から見直していって、「参加と責任」が実現されるような民主主義のレッスンをやり直していく必要がある、と私は考えています。そのためにもまずは、基礎自治体よりも、はるかに規模が小さいコミュニティやアソシエーションにおいて、「参加と責任」を実践しなければなりません。私たちは、そうしたものに複数所属してもかまいませんし、実際には多拠点居住をしている方々もいるわけです。「参加と責任」が実践されている状態を回復しないと、いくら抽象的に民主主義のことを語ったとしても、上滑りの議論になると思います。

世界を見るときも同じだと私は思います。私たちは国単位で世界をどうしても見がちなのですが、それ以外に、それほど大きくないサイズのコミュニティが、その社会の中でどんなふうに機能しているのか、あるいは機能していないのかを具体的に見ていったほうが、民主主義の内実を測ることに寄与するかと思います。

岩間：リベラリズムは、その性質からも「個人の自由」をとても重視します。人間は自由だけで幸せになれる生き物ではありません。自由であると同時に、どこかのコミュニティにつながっていることで、自分のアイデンティティやニーズが満たされるのです。

われわれが生きてきた20世紀後半は、そういったコミュニティへの所属という問題を、いくつかのレベルで解消していました。

たとえば、中島先生がおっしゃったような地域の自治体、地域コミュニティがあり、家庭と会社や職場のコミュニティがあり、あるいは、労働組合も国や場所によっては共同体を提供する手段の一つでした。とくに、ドイツではそういう側面も強かったのです。

けれども、今では働き方も大きく変わり、長く一つの職場にはいない。あるいは住んでいる地域もどんどん移っていく。さらにもう一つ、家族という共同体も崩れてきています。

このようなコミュニティがなくなっているというのは、先進国共通の現象です。それ自体は、もう逆戻りすることはできない現象なので、新たにどこかのレベルで、コミュニティ作りを進めていかなければなりません。

そうでなければ、人間が心のどこかで抱えている不安は解消されないし、本当の意味で「幸せだ」という感覚が持てない時代が来ているのかな、と私は思っています。

■「資本主義」の方向性を、もう一度正してみる

――ガブリエルさんと中島さんは『全体主義の克服』という対談本を出版されています。この本の中で、ガブリエルさんは「資本主義が誤った動きをし始めると、民主主義やリベラリズムを脅かすのではないか」と話し、中島さんも「不安定な資本主義は、全体主義を招きかねない」と指摘をされていました。そのメカニズムはどういうものでしょうか。

中島：ガブリエルさんも常々指摘をされていますが、「今の資本主義は、実は資本主義的ではない」と言えるかもしれません。

資本主義とは、次のような動きが基本になります。つまり、資本を投じ、その資本を使ってビジネスを行うことで、この資本の運動に関わる人たちが繁栄し、豊かになっていくという動きです。単純な事例を挙げれば、美味しいパンを焼く技術がある人で、パン屋を開店する資金がない場合、誰かがその人を信頼し投資をすると、その地域にパン屋ができて、人々が豊かさを享受できる一方で、利潤も上がり、投資家も豊かになるということで

す。

しかし、現状はそうなっていません。現在では「世界の1%の超富裕層が、世界の富の半分以上を占めている」ような、とんでもない格差の状況が広がっています。では、この富裕層たちが持っている富が、資本に転じるかというと、そうではなく、ひたすら富として積み上がっていくだけです。現在の資本主義は、資本ではなく富が偏在するような構造になっているのです。

富が偏在するだけで投資に回らないと、周りの人を巻き込んで、ともに豊かになることなどできません。かえって、格差や不平等がどんどん拡大していくだけです。その結果として、民主主義やリベラリズムを破壊し、場合によっては全体主義をも招きかねません。ここで斎藤幸平さんならマルクス主義や脱成長を持ち出すのですが、ガブリエルさんは、資本主義の対義語は封建主義だと考えていますから、封建主義に戻るわけにはいかないために、資本主義は、もう一度「資本主義的なもの」を取り戻さないといけないと主張しているのです。

私も同意見で、「今の資本主義は、資本主義の基本的な考えから外れてきた」という感覚があります。資本主義にも歴史があります。それを振り返りますと、資本主義にも、いろいろ変容や変遷、さらには波があったことがわかります。

たとえば、初期資本主義を見てみましょう。アダム・スミスが指摘した通り、初期資本主義では、身体的な経験（とくに感情）に基づく道徳といった、コミュニティの中で育まれていくものが、資本主義と結合していました。お互いにお互いを支え、陶冶《とうや》し合うような関係があり、そのうえで資本主義が展開していったのです。

日本でも、渋沢栄一は「道徳経済合一論」を主張していました。まさしく先ほどのアダム・スミスと似たようなことを言っていたわけです。

ところが今は、道徳と資本主義が完全に分裂してしまっています。道徳や、感情に根差した人間の共同的なあり方とは関係ないところで、資本主義が運動してしまっている。人間の生のあり方を豊かにしていくのに、資本主義は寄与しないどころか、それを阻害している。そういうふうに思われているわけですね。

ですので、もう一度、「資本主義の向きを変えること」が大事だと思います。

そのときに、「アソシエーション」や「コミュニティ」とただ唱えればいいわけではありません。20世紀の経験を振り返りますと、「アソシエーションの悪夢」もあったからです。典型的なのは、旧ユーゴスラビアです。あれはある種のアソシエーション国家でしたが、それが崩壊した後にどれだけ凄惨な内戦が勃発したか、私たちは忘れることはできません。

その点で、私たちは「アソシエーション」とか「コミュニティ」の負の面にもよく目配りしておいたほうがよいと思います。つながったり、ともにいたりすることが、かえって人々を束縛し、自由を奪うだけでなく、責任をも奪うのです。それを承知のうえで、もう一度、アルバート・オットー・ハーシュマンの唱えた「Exit & Voice」モデル、すなわち、出たり入ったりが自由な共同体で、参加している場合は誰もが意思決定に参加できるあり方を、やはり考えたほうがいいと思います。これは、資本主義の方向転換にとって、重要な羅針盤になるのではないでしょうか。

■世界帝国・アメリカは本当に衰退するのか？

――アソシエーションの負の側面という意味では、人種やジェンダーなどで細分化した「アイデンティティ」による政治活動が先鋭化し、社会の分裂が深まっているアメリカの例も思い起こされます。**岩間さんは、アメリカの今後をどうご覧になりますか。**

岩間：アメリカでは２０２４年に選挙が控えています。トランプ大統領をめぐる様々な動きが報道され、注目を集めています。フランシス・フクヤマさんは「トランプが再選されれば、アメリカの末期的衰退となる」とおっしゃっていました。

しかし、アメリカはたとえアップダウンがあっても、かなりレジリエンスがある国だと私は思っています。それは、人口的にもそう見られています。

人口学の方に聞いた話ですが、これから世界は、人口大減少時代に入ります。とくに、東アジアはものすごく人口が減少していくことになります。

このような状況下でも、例外的に、アメリカの人口はこれからも比較的安定したままだと予測されています。しかも、「もしかすると増えるかもしれない」との予測もあります。こうした観点からも、「アメリカが一気に衰退する」という未来予測はそれほど当てはまらない、と私は思っています。

それ以上に、アメリカ人自身が、世界の中で自分たちがどんな役割を果たす存在でありたいと思っているのか。こうした考えのほうが、アメリカの行く末を左右すると考えています。これによっては、短期的にものすごいブレが入ってくる可能性はあります。しかし、私は中期的にはアメリカのパワーということに関しては、フクヤマさんほど、悲観していないです。

中島：私は、マルクス・ガブリエルさんと一緒に仕事もしているので、いろいろ影響し合っているところもあります。しかし、彼と一緒に話していて「これは大事だな」といつも思うのは、かつての17世紀から18世紀にかけての啓蒙の時代以降に、世界に広がった西洋中心主義的な普遍性はもう機能しないということです。ここでの普遍性は、上から下にトップダウンで下されるもので、西洋が独占している範型を、非西洋に対して「あなた方はこれを実行しなさい」という形で命令するようなものです。この中に、現在の民主主義の形も含まれています。

そうではなくて、地域に根差した多様な言説や概念を、対話を通じて普遍化していく必要があると思うのです。こうした努力は下から上へのボトムアップ型で、水平的な普遍性を想定するものです。その中で、民主主義もまた鍛え直すことができるのではないかと私は思っています。

■「民主主義の理念」の核はどこにあるのか？

──西欧がある意味で、「これが普遍性である」と押しつけた民主主義を、次は、それぞれの地域が共有する価値観などから「普遍化する」プロセスの中で鍛え直す、というのは面白いですね。

中島：また中国に触れたいと思いますが、中国は2021年に『中国的民主』という白書を出しています。そこには「中国的な民主主義」とはどういうものか、と縷々《るる》書かれています。フクヤマさんやトッドさんによって、非常に厳しく「独裁国家だ」と批判されている中国ですが、それでも、実は、「民主主義」という概念について、自分たちなりに議論を深めているわけです。この中国で語られている「民主主義」が、私たちになじみがある民主主義と違うからと言って、簡単に退けられるのかということです。

すでにトクヴィルの言及した中国の民主主義についてはお話ししましたが、中国の思想史を詳しく検討していくと、民主主義の伝統はもうすでにあったわけです。明末の東林《とうりん》派の「公論」や、コミュニティの規則を考えた「郷約」などが参考になります。こうした地域に根差した民主主義的な伝統もまた、歴史の遺産として、今日の民主主義の議論の背景を構成しているのです。

ですから、一方的に拒絶するのではなく、そうした伝統を踏まえたうえで対話を重ねて、「中国的民主」がある地域だけに閉ざされたものではなく、もっと普遍に開かれたものにともにしていくことが大変重要だと思うのです。

重要なのは、一方だけが変わっていくのではなくて、対話を通じて相互に変容していくことです。そして、その相互変容のプロセスを共有して、民主主義のような鍵概念を鍛え直し続けることです。

またアメリカで少し思い出しましたが、『全体主義の起源』を書いたハンナ・アーレントは、「全体主義がいったいどうしてドイツで起こってしまったのか」をつくづく考えた人でした。ナチスは民主主義的な手続きを経て政権を握ったのです。そうすると、民主主義のあり方を考えざるを得ません。

その際、彼女が考えたのは、フランス革命とアメリカ革命の違いです。フランス革命は、一つの声のもとにすべてが統合されてしまい、民主主義が多様性を失った。これは非常によろしくなかったというわけです。その一方で、アメリカは、カウンティ（郡）のようなコミュニティが自律的にあることが前提とされています。そのカウンティの中では、多様な声が共存し合うようになっている。そして、そうした声が、代表制のステップを踏んで、だんだんと広く共有されていくような制度がある。こちらは民主主義に多様性が担保されていて、それが制度的にも保証されているというわけです。このように、違うタイプの民主主義があるとアーレントは言ったのです。私たちが、来るべき民主主義を考える場合に、参考にすべき議論だと思います。

また、民主主義の「理念」自体は、決して失われることはない、と私は思っています。「自由」「平等」「公正」あるいはある種の「連帯」ですね。そうした理念が大事であることと自体は揺るがないし、多分これからも消えないと思います。どんなに強権的な社会であっても、それを否定することは難しいですし、実は強権的な社会であればあるほど、人々の作り上げる世論に敏感ですから、それらをどう扱うかは別にして、気にかけないわけにはいきません。

もちろん、そのような社会の中には、理念からしておかしな方向に向かっている社会もあります。重要なことは、私たちは文化相対主義をそのまま受け入れるわけではない、ということです。たとえば、「子どもを虐待してもよい」などと主張する文化に対しては、「それはおかしい！」と言うべきなのです。

私は、いかなる文化にも、宗教にも、社会にも、特定の価値を成り立たしめている構造があると思います。そして、そこにはいくつかのスイッチが埋め込まれていて、その中のあるスイッチを押すことによって、その構造が変わっていくのだと思っています。それは対話を通じて見つけ出していくしかない、変容のスイッチなのです。あらゆる文化、あらゆる宗教、あらゆる社会に、そういったスイッチが埋め込まれている。だからこそ、歴史的に見れば、どの文化も宗教も社会も変容をし続けてきたのです。

ガブリエルさんが別のところで強調していますし、私も同感ですが、そういったスイッチを見出していく努力には、やはり人文学が貢献できるのではないかと思っております。

■異なる文化を理解するための「スイッチ」

——この「スイッチ」というのは、価値観が大きく変わるきっかけとなる出来事、といった意味合いなのでしょうか。

中島：たとえば、戦前の日本を考えてみましょう。海外から見ると、非常に奇妙な国家だったのだと思います。もしかすると、戦前の日本は、ある種のカルト国家のように見えていたかもしれません。「特攻」を若者に強要してしまうわけですから。しかし、当時の日本が、国内で一枚岩だったかと言うと、そんなことはありません。戦前の日本が戦争へと突き進んでいったのは、いろんな要素が混じり合い、合わさっていたからです。いろんなものが緊張感を持って結合していて、やはりそこにもスイッチと呼べるような特異点が埋め込まれていたのです。それを良い方向に押せなかった、もしくは悪い方向に向かうスイッチを押してしまい、軍国主義化を止められなかったのです。

しかし、そうした特異点をスイッチのように押すことによって、その文化のあり方がガラッと変わることがあります。フクヤマさんは、1945年以降の日本に言及されていましたが、戦前と戦後の日本は同じ社会と言ってよいかわからないほど変わっていきました。その変わり方の速度や深度については、人によって意見が分かれます。でもたしかに変わったのです。

それはまさしく何らかのスイッチが、いくつか押された結果なのです。構造を変えるためには、外から力ずくで変形させるだけでは不十分です。内側から変わる必要があるのです。それと同じことが、他の社会や国と向かい合って対話するときにも十分起こり得る、と私は思っています。というのも、そうしたスイッチは、いかなる文化であれ、必ずいくつも埋め込まれているからです。

――このスイッチがどこにあって、どうやって押せばいいのかを探るのが難しいわけですが、これを内外から探るのが、対話の意味とも言えるのかもしれません。

一方、現状に目を向ければ、今の世界で異なる価値観を持つ相手と、共通の解を見出すことがいかに難しいかを感じます。岩間さんはどうご覧になりますか。

岩間：2023年10月にドイツでは地方選挙がありました。そこでも、やはり極右が台頭しています。ドイツにおいて、排外主義の空気感はかなり強くなっていて、それはやはり、年間で100万単位になりつつある難民の数に対する反応のように、私は思います。実際はかなりの数の難民を、現在ではトルコにとどめています。そうした一方で、今度は地中海経由で渡ってくる難民が、今年になってまた増えています。

こうした状況を見ていて私が思うのは、一つのコミュニティの中で、一定の価値観とかルールを共有していくためには、「安定した人間関係」が必要になるということです。それはどのレベルにおいてもそうだと言えるでしょう。もし小さいコミュニティに、価値観を共有していない人が一定数以上入ってくると、そのコミュニティは不安定化します。

そこには、リベラリズムが直面している矛盾があります。やはり「外に対してオープンでなければいけない」という目標と、一方で、「コミュニティというものはルールを共有すべきである」という要請が、リベラリズムの中には共存しています。

国際社会では、それと同じようなことが規模を大きくして起こっている面があります。国際社会は、一定の価値観やルール、目的の共有がないとうまく機能をしません。そういう意味で、「国際社会は本当の意味では社会ではない」という主張は常にありますが、制度や目的の共有度が上がれば社会たり得るとヘドリー・ブルのような国際政治学者は主張しています。問題は、ここ15年くらい、価値観やルール、目的の共有度が主要国の間でどんどん下がってきていることなのです。とくに国連安保理常任理事国でもある、ロシアと中国が、共通の制度を維持しようというのとは逆の方向の行動をしていることは、大きなダメージです。

むろん、中国もいろいろな面があります。習近平＝中国ではありませんからね。習近平は、戦後の中国国内、共産党システムの中で蓄積されてきたいろいろな制度やルールさえも壊して、自らに権限を集めてしまっているような面が存在します。ですが、習近平＝中国と思う必要はまったくありません。しかも、習近平の政治が、中国で永遠に続くわけでもありません。しかし、しばらく今の体制が続いていくでしょうから、中国は既存の国際社会のルールに対して、様々な挑戦をしていくでしょう。

とはいえ、気候変動の問題への対処については、中国抜きでは解決できません。この点はドイツの中で最も強調されることです。とくに、ドイツのショルツ政権は、様々な議論が巡りめぐって、そこに帰着します。たとえば、安全保障の問題を考えるにしてもそうです。何よりもまずは気候変動に対応しないと、「結局、私たちは安全に生きられない」という結論に至り、「じゃあ、中国と仲良くするしかないよね」というところに帰着するのです。これはまさしく、現在、いろいろな矛盾が互いにぶつかり合っているという状況にあることの証左であるという気がしています。

■日本が描くべき、2024年以降の世界地図

――日本ではウクライナ戦争から、台湾有事を想起した人が多くいました。日本にはどのような進路があり得るのでしょうか。

岩間：トッドさんは「日本は、核兵器を手に入れれば中立でいられます」と言っていますが、これは極めてフランス的な見方のように思います。そもそも核を保有しているフランス自身も、決して中立でいるわけではありません。大きな枠組みとしてNATOの中にいて、隣にはドイツという大きな国がいて、アメリカという国がNATOの中ですごく大きな力を持っている。その全体構造の中にいて、核兵器によって相対的な独立を手に入れているのがフランスです。しかし、その核保有の過程を、アメリカはものすごく苦々しく思っているわけです。

そう考えると、今から日本が核兵器を保有するということは、アメリカのシステムに正面から盾突くことになるわけです。そのコストが相当なものになるのはわかりますよね。

そもそも核兵器はいきなり、「保有します」と言って明日から保有できるものではありませんが、仮に選択肢として考えるとしても、「アメリカがこれからどういう存在になっていくのか」ということとバランスを取りながら考えていく必要があります。さらに、中国との対話を行う必要が必ず出てきますし、それらをどういう場でやっていくのか。中国は核もあり、気候変動の問題も抱えています。そうなると、そういう対話は絶対必要になります。このバランスの中で日本はどういう役割を果たそうと思っていて、そのためにはどのような立場にいるのが国益なのかということを、詰めて考えねばなりません。

また、「人口問題を考えたら、戦争なんて不可能だ」ということはよく言われてきました。たしかに大きな枠組みとしては正しいと思います。でも、大きな枠組みで正しいことが、小さいレベルで必ずしもいつも当てはまるとは限りません。

ロシアなんて人口減少国家であり、「あんな戦争できるはずはない」とわれわれは思っていました。しかし実際にはやってしまっています。このように、「あるはずない」と思っていても、小さいレベルや短期間の間には起こることはあるのです。こうしたことが現在、世界中でいろいろと起こっています。その中でやはり日本も、一定以上の安全保障上の役割は果たさざるを得ない、という段階に来てるのかな、と私は思っています。

大きな意味で、戦後の日本はアメリカの同盟国として、その枠内で生きてきました。しかし、アメリカ国内にも揺らぎがある今の状況では、冷戦期のように「頼り切る」だけでは、日本は生きていけない時代が来ています。

そこで、日本には二つの側面が必要になってくると思います。つまり、「自分で力をつける」という面と、「チャンスを見つけて対話の場を作っていく」という面。

とくに、対話に関して言うと、中国を巻き込む必要があるわけですが、それは米中の大国間対話かもしれませんし、米中ロ三国かもしれない。もしくは、周辺のアジアの諸国を巻き込んだフォーラムなのかもしれません。たとえば、モンゴルのようなある種の中立的な国を舞台に、多くのプレーヤーを集めて話をするという手法もあるでしょう。

このようにいろんな国を相手として見ながら、そこに何らかのアジアのコミュニティを作っていくチャンスはないかと見ていくのも、これからの日本の外交として必要になってくるでしょう。日本は、もはや大国ではないが、相対的にはまだまだアジアのリーダー格の国であると同時に、多くの中小国とも友好的な関係を維持しています。その多義的な立ち位置を、外交上十分に生かしていくことが必要です。

「力をつけること」と「対話の場を作ること」。そのどちらかではなく、両方をやりながらチャンスをうかがっていくべきだと思っています。われわれの誰もが、最終的には戦争を望んでいるわけではないでしょう。戦争は誰のためにもならないですから。

そういったポイントは見失わずに、安定的な国際コミュニティをどこに見出すか。そのチャンスを必死で探していく時代が、これからも続いていくのだろう。そんなふうに私は考えています。

中島：世間では、「米中対立」という簡単な図式で物事を語ることもあります。しかし、アメリカにも多様な声がありますし、それと同様に、中国にも多様な意見はあります。そういった異なるチャンネルと日本の人々がつながっていくことが、とても大事だと思っています。大学の役割の一つはそこにあるはずです。

それと同時に、中国を含んだアジアの諸国と、対話のプラットフォームを作り続けていくことも大切です。かつては、「東アジア共同体」のようなことが、政治だけでなくアカデミアにおいても、様々に語られたりしました。しかし、それはうまくいきませんでした。というのも、それを構想する対話のプラットフォームがきちんと整備できていなかったからです。これは喫緊の課題ですが、難題の一つです。

もう一つは、ヨーロッパやグローバルサウスとの関係性です。こちらに対しても、きちんとしたチャンネルを整備しておく必要があります。そういう多極的なネットワークの中に、日本を位置づけること。今必要なのは、それだと思います。

コーディネーター／GLOBE副編集長　宮地ゆう

おわりに

２０２３年5月5日、世界保健機関（ＷＨＯ）は、新型コロナウイルス感染症に関する「国際的に懸念される公衆衛生上の緊急事態」（ＰＨＥＩＣ）の宣言を終了すると発表し、3年あまりに及んだパンデミックは、終焉に向けた段階に移行しました。各国では関連の規制や制限が緩和され、暮らしは「新しい日常」を取り戻し始めました。街中は観光客でにぎわい、新しいテクノロジーとして生成ＡＩ（人工知能）技術の活用が広がり、話題となりました。一方でロシアによるウクライナ侵攻は終わらず、食品などの物価は上昇。昨年の夏は世界の平均気温が観測史上最高となるなど、世界情勢や気候変動が私たちに大きな行動変容を迫っていました。

そんな中で、私たちは朝日地球会議２０２３の準備を進めていきました。「朝日環境フォーラム」としてスタートし、２０１６年からは名称を「朝日地球会議」とあらため毎年秋に開催してきた国際シンポジウムは、コロナ禍を経てどうあるべきか。開催する意味、意義はどこにあり、どんな価値提供を目指すのか、チーム内で議論を重ねました。

その結果、4年ぶりとなるリアル会場での本格開催方針と、メインテーマ「対話でひらく　コロナ後の世界」が決まりました。オンラインでのライブ配信や収録も組み合わせ、みなさまに議論の現場を体感いただくこと。時には議論にも参加いただき「対話」を通じて現在を知り、理解し、未来に向けてともに行動する場を提供すること。この二つの価値提供を目指し、「分断」によって混迷を深める世界情勢に「対話」の力で立ち向かうイメージも重ねたメインテーマです。

メインテーマという土台ができあがると、興味深い論点や登壇者イメージが自然と積みあがっていきます。ウクライナ戦争が長期化するなか、西欧の民主主義陣営の行く末や国際社会のパワーバランス、日本が置かれる立場などはどうなるのか？　自由民主主義の国々の内部でも分断が進み、法の支配が脅かされる現状からどのように自由と民主主義が調和したよりよい世界を築けるのか？　AIとは何なのか？　生成AIの出現は人類の未来に何をもたらすのか？　気候危機に私たちはどう自分ごととして向き合っていくことができるのか？　世代を超えて社会課題解決のための共創を行うにはどうしたらよいか？

問いが具体化すると、これまでの朝日地球会議でも登壇いただいた海外の知識人の何人かを軸にあらためて語り起こしてもらいたいとの思いも強くなりました。

欧米のふるまいが世界を不安定化させているとするエマニュエル・トッド氏、冷戦終結後、西側の高揚感ゆえに華々しく受け止められた「歴史の終わり？」の発表から35年となるフランシス・フクヤマ氏、人類固有の「絶対的」な道徳的規準への信頼を語るマルクス・ガブリエル氏、ジャーナリストとしてAIを追うニューヨーク・タイムズ記者のスティーブ・ロー氏とのインタビューセッションの企画が実現にむけて動き出しました。

さらに、4氏の語りを参照しつつ日本の論客、クリエーターが読み解く2部構成のトークセッション、『「世界の知」と探るAI新時代』（【第1部】AIからの挑戦状～知性・創造とはなにか、【第2部】2024年変わる世界秩序　新しい時代への視座）が生まれます。世界と日本の実情とを照らし合わせて考える場との位置づけです。

第1部では、AI研究者で元グーグルの研究部門責任者のメレディス・ウィテカー氏、ストラテジストの安宅和人氏、ヴィジュアリストの手塚眞氏を加え、長野智子さんにコーディネーターをお願いしました。一部のプラットフォーマーがなかば独占的にAIを開発する現状についての懸念を示しつつ、日本の文化の価値再認識によって、この新たなテクノロジーと共存する可能性も語られました。

第2部では、国際政治学者の岩間陽子氏、マルクス・ガブリエル氏とも親交の深い哲学者の中島隆博氏をお招きしました。このセッションでは、世界の知性のインタビューを引き取って、グローバル化の流れを70年代のドイツの「東方外交」やデタントと紐づけて説き、希薄化したコミュニティやアソシエーションへの「参加と責任」の実現が民主主義再生のきっかけになると提示しています。また、多様な文化、社会に埋め込まれているスイッチを相互理解により見出すことの大切さに言及したことはマルクス・ガブリエル氏が強調する「道徳的実在論」による対話的アプローチともシンクロしています。

本書では、これらインタビューとセッションを3つの柱建てで再構成しました。読み進むうちに、自由民主主義を脅かす分断や紛争が拡がる世界、人類の未来に物理的にも精神的にも破壊的な影響を与えかねない新たなテクノロジーへの不安など、私たちが直面する未来予測の負の側面に目が奪われたかも知れません。真の意味で自由を謳歌できる地球を次世代に残すという責任の重さに押しつぶされそうにもなります。

未来は行き止まりの終着点なのでしょうか。それだけではないはずです。世界の知性たちはさまざまなことばで終着点から見える景色を見せてくれました。それでも人類の歴史は続いていくこと、多様な文化を持つ世界だからこそ培われてきた固有の「普遍性」「道徳的価値」「人間性」への期待感です。今度は眼前に広がる景色を足場に、「自分のことばで対話し、理解し、共感し、共創することで世界を一歩、良い方向へ前進させよう」と感じていただけたのであれば同志として大変うれしく思います。

朝日地球会議2023は、本書『人類の終着点』に収録されている世界の知性4人のインタビュー対談とそれを受けた日本の知性によるセッションだけでなく、ポスト・コロナの都市と空間、里山と持続可能なくらし、気候変動への「自分ごと」としての取り組みなど様々なテーマを取り上げています。各セッションの様子は、朝日地球会議の特集サイト（次ページのQRコードのリンク先）から動画視聴していただくことができます。本書と合わせ、ぜひ、お楽しみ下さい。

朝日地球会議2023は、山田祐実、樋口彩子、八尋紀子、斉藤智子、神田明美、朝喜郁、上野晃、永島学、日下部貴久が企画運営を担当しましたが、編集部門の記者たちの尽力がなければ、「今だからこそ知っておきたい」と思えるような中身の濃いセッションを実現することは到底できませんでした。特に、本書で取り上げた国内外9人のインタビュー、セッションを担当した渡辺志帆GLOBE+副編集長、青山直篤国際報道部次長、宮地ゆうＧＬＯＢＥ副編集長、五十嵐大介サンフランシスコ支局長兼編集委員は、朝日新聞・朝日新聞デジタルでの日々のニュース発信と並行して、登壇者との事前調整、進行・字幕チェックなど、シンポジウムに関わる多方面の作業を担ってくれました。また全体の取りまとめは野島淳経済部長代理が活躍してくれました。あらためて感謝申し上げます。

朝日新聞出版書籍編集部の宇都宮健太朗さん、増田侑真さんには大変お世話になりました。「朝日地球会議サポーター」として粘り強くお付き合いくださったお二人なくしては、『２０３５年の世界地図』に続く本書は実現しませんでした。この場を借りて御礼申し上げます。

朝日新聞社メディア事業本部イベント運営２部次長　鵜飼誠

「朝日地球会議2023」特集サイト

各セッションの様子は動画でもご視聴いただけます。

【聞き手】

青山直篤：朝日新聞国際報道部次長。共同通信記者を経て、タフツ大学院フレッチャースクール修了。2008年に朝日新聞社入社。18年〜22年、アメリカ総局（ワシントン）にて、貿易紛争やコロナ危機の激動に揺れたトランプ・バイデン政権期を取材。22年、米国での取材を土台にまとめた著書『デモクラシーの現在地』（みすず書房）を出版。

五十嵐大介：朝日新聞サンフランシスコ支局長兼編集委員。英字誌「Tokyo Journal」、時事通信社の英文記者を経て、2003年に朝日新聞社入社。13年から18年までワシントン特派員。その後、サンフランシスコ支局長。最近は、シリコンバレーを中心に、テクノロジーが社会に与える影響を取材。

宮地ゆう：朝日新聞GLOBE副編集長。2000年に朝日新聞社入社。フルブライト奨学金を得て、コロンビア大学院修士課程（国際政治学）修了後、東京社会部、GLOBE編集部、経済部、サンフランシスコ支局長など。著書に『シリコンバレーで起きている本当のこと』（朝日新聞出版）、『密航留学生長州ファイブを追って』（萩ものがたり）など。

渡辺志帆：朝日新聞GLOBE+副編集長。宮崎、埼玉の地方総局、東京社会部、米コロンビア大学東アジア研究所客員研究員、在ロンドン特派員、GLOBE編集部などを経て、2023年4月から現職。

【コーディネーター】

長野智子：キャスター、ジャーナリスト。上智大学外国語学部英語学科卒業後、アナウンサーとしてフジテレビに入社。その後フリー。現在はジャーナリスト活動の傍ら、国連UNHCR協会の報道ディレクターも務める。

朝日新書
944

人類《じんるい》の終着点《しゅうちゃくてん》

戦争、AI、ヒューマニティの未来

2024年2月28日第1刷発行

企画　朝日地球会議
著者　エマニュエル・トッド
マルクス・ガブリエル
フランシス・フクヤマ
メレディス・ウィテカー　スティーブ・ロー
安宅和人　岩間陽子　手塚眞　中島隆博
聞き手　青山直篤　五十嵐大介　宮地ゆう　渡辺志帆
コーディネーター　長野智子
発行者　宇都宮健太朗
カバーデザイン　アンスガー・フォルマー　田嶋佳子
印刷所　TOPPAN株式会社
発行所　朝日新聞出版
〒104-8011　東京都中央区築地5-3-2
電話　03-5541-8832（編集）
03-5540-7793（販売）

Published in Japan by Asahi Shimbun Publication Inc.
ISBN 978-4-02-295254-7
定価はカバーに表示してあります。
落丁・乱丁の場合は弊社業務部(電話03-5540-7800)へご連絡ください。
送料弊社負担にてお取り替えいたします。